Achub y Cwm

Gwen Redvers Jones

Gomer

Cyflwynedig
'I'r rhai dewr wnaeth ddal eu tir'.

Daw ffeithiau'r ymgyrch o *Cloi'r Clwydi*, Robert Rhys
ac ôl-rifynnau o'r *Western Mail*, *Carmarthen Times*,
Carmarthen Journal, *The Times*, *The Manchester Guardian*,
The Herald of Wales, *Y Cymro*, *Y Tir*.

Dychmygol yw'r plant, eu teuluoedd a'r hyn sy'n digwydd iddyn nhw.

Cyhoeddwyd gyntaf yn 2010 gan
Wasg Gomer, Llandysul, Ceredigion, SA44 4JL.
www.gomer.co.uk

ISBN 978 1 84851 157 6

Dymuna'r cyhoeddwyr gydnabod cymorth
Adrannau Cyngor Llyfrau Cymru.

Argraffwyd a rhwymwyd yng Nghymru gan
Wasg Gomer, Llandysul, Ceredigion.

Gyda diolch i

– Peter, fy ngŵr, am ei amynedd.

– i Dafydd, un o'm meibion, am gael defnyddio ambell linell o'i gerdd 'Creigiau'.

– i'm ffrindiau: Gill, Y Wern; Hilary, Llancwm; Hugh, Panteg; Ila James; John, Glanyrynys; Nina Rees a Norman, Llwynpiod, am ateb cwestiynau diddiwedd. Roedden nhw yno ar y pryd.

REBECA GWENLLIAN JONES
LLECHWEDD
LLANGYNDEYRN
CYDWELI
SIR GAERFYRDDIN
DE CYMRU
Y BYD
Y BYDYSAWD
Y GREADIGAETH

FY LLYFR I YW HWN

Dydd Mawrth, Ionawr 1, 1963

Dyma fi, Beca Gwenllian Jones, yn gwneud fy ngorau glas i gadw adduned blwyddyn newydd – sef cadw dyddiadur. Rhyw wythnos neu ddwy mae'r addunedau'n para, fel arfer. Yn enwedig pan mae'n golygu cadw fy ystafell wely'n deidi a pheidio pigo ar Gruffydd, fy mrawd bach. Ond fi'n credu bod addunedau'n bwysig. Fydd rhywun yn darllen y dyddiadur hwn ymhen blynyddoedd, sgwn i? Os oes ambell air wedi'i sillafu'n anghywir neu ambell goma yn y man anghywir, wel, dim ond deg oed ydw i ac mae dyddiadur yn rhywbeth preifat, felly fi ddim yn mynd i ofyn i Mami ddishgwl drosto fe. Falle fydd e ddim yn gwneud llawer o synnwyr, achos does dim meddwl teidi iawn 'da fi. Mae'n meddwl i'n symud o un peth i'r llall, ac wedyn fi'n dweud beth fi'n feddwl neu'n ysgrifennu beth fi'n feddwl yn y fan a'r lle. Ymhen blynyddoedd, pan fydda i 'wedi hen fynd', fel mae Mam-gu'n ei ddweud, falle bydd rhywun yn cael hyd i hwn ac yn meddwl, 'Pwy yn y byd oedd Rebeca Gwenllian Jones?'

Cofiwch, does dim golwg mynd ar Mam-gu. Yr unig beth sy'n gwneud iddi ddishgwl yn hen yw'r het 'na mae hi'n wisgo pan mae hi'n mynd lawr i'r siop yn y pentre i brynu bwyd, a nôl ambell i beth o'r stôrs i Tad-cu a chael *chat* gyda Mrs Smith. Lottie mae Mam-gu'n ei galw. Fi'n hoffi mynd 'da Mam-gu'n y gwylie achos mae pawb sy'n y siop yn cael gwd *chats* 'da'i gilydd. Dyna lle mae pawb yn prynu petrol a nôl eu pensiwn. Y siop yw'r post a'r post yw'r siop. Mr Jack Smith yw'r postfeistr a fe sy'n dod â'r post rownd y tai a'r ffermydd. Mae e hefyd yn dod â phethau o'r siop i ni. Mae Dadi a Tad-cu'n prynu petrol yno hefyd. Mae'r siop yn bwysig iawn yn y pentre. Mae siop arall yma hefyd, yn y Pentre Isha. Siop Mr David Smith yw honno. Mae e'n frawd i Mr Jack Smith.

Mae Tad-cu'n dweud bod pawb yn perthyn i'w gilydd yn Llangyndeyrn. Bydde'r un set o ddannedd dodi'n ffitio pawb! Mae Mam-gu'n gwisgo'r hen het 'na pan mae'n mynd i fisito rhai o'i ffrindie yn y pentre. Het *drag on* fi'n ei galw. Mae'n rhyw sort o *beige* – lliw sy'n mynd 'da phob peth, yn ôl Mam-gu. Mae hi'n ei dodi ar ei phen ac wedyn yn ei thynnu i lawr dros ei chlustie. Het i fynd a dod mae Mam-gu'n ei galw, ond pot llaeth yw enw Tad-cu arni hi. Mae ganddi het arall i fynd i'r dref ar ddydd Mercher, pan mae Tad-cu'n mynd i'r mart, ac mae hi'n gwisgo honno i fynd i'r *W.I.* a'r *Old Age* hefyd. Mae ganddi un posh ar gyfer yr eglwys ar ddydd Sul, un wedi'i gwneud o blu. Sa i erio'd wedi gweld Mam-gu'n gwisgo sgarff am ei phen, fel y frenhines a menywod eraill. Erbyn meddwl, sa i erio'd wedi'i gweld yn gwisgo trowser chwaith. Dyw Mam-gu ddim yn credu bod hynny'n beth neis i wneud, fel menywod yn smoco a gwisgo *nail varnish*. So Mam-gu'n gyrru, felly, pan mae hi'n mynd i'r dre mae hi'n mynd ar y bws neu gyda Tad-cu neu Mami. Fi'n hoffi mynd i'r dre 'da Mam-gu ar y bws. Mae hi'n adnabod sawl un ar y bws, ac rwy'n dwlu gwrando arnyn nhw'n hel clecs. Pwy sy'n dost, pwy sy'n ei gofal, pwy sy wedi cael babi. Hwn a hon wedi dechrau caru. Hwn a hon wedi dod yn *engaged*. Trueni bod hwn a hwn yn dost. Does dim golwg rhy dda arno fe. So'i liw e'n iach iawn. Gobeithio bod dim drwg 'na.

'Hei, beth o'ch chi'n feddwl o *Coronation Street* neithiwr? Dyna fenyw yw'r Elsie Tanner 'na. Mae hi'n cael corsets da o rywle – licen i wybod o ble! Shwd mae hi'n cysgu'n gyfforddus 'da gwallt fel 'na?'

Maen nhw'n clebran yr holl ffordd i'r dre ac wedyn yn cwrdd yn y *Tea Rooms* am *chat* arall cyn clebran yr holl ffordd adre ar y bws. Pwy o'n nhw wedi'i weld a beth o'dd 'da phawb i ddweud. Mae Tad-cu'n dweud bod Mam-gu yn *encyclopedia of local news*. Fi'n caru Tad-cu a Mam-gu. Mae Mam-gu'n chwerthin lot a chlebran fel pwll y môr. Un seriws, parchus yw Tad-cu. Mae e'n darllen llawer ac yn gwybod llond gwlad o farddoniaeth.

Mewn ffordd, fi'n debyg i'r ddau. Fi'n clebran a chwerthin lot fel Mam-gu ac yn hoffi darllen fel Tad-cu. Mae Mami'n dweud mod i'n bwyta llyfre. Sa i'n deall pam mod i mor dene os fi'n bwyta llyfre – fi'n bwyta digon ohonyn nhw. Ges i un llyfr arbennig iawn yn fy hosan Nadolig – *The Diary of Anne Frank*. O! ro'dd e'n drist. Hoffwn i, fel hi, ysgrifennu llyfr a hwnnw'n byw ar fy ôl i. Mae hi wedi marw ers un deg wyth o flynyddoedd ond fi'n gwybod ei hanes ac yn ei hadnabod. Fe fydda i'n adnabod Anne Frank am byth. Dyna un rheswm pam rwy'n benderfynol o gadw'r dyddiadur yma. Mam-gu roiodd e i mi. Pan weles i e, do'n i ddim yn siŵr iawn beth i wneud 'da fe achos jyst llyfr ysgrifennu plaen yw e.

'Gan dy fod yn clebran byth a beunydd ambyti ysgrifennu llyfr, wel dechreua gyda hwn,' dywedodd Mam-gu, ac ar ôl i mi ddarllen dyddiadur Anne Frank fe ges i'r syniad o gadw dyddiadur. Sa i'n meddwl bod dim yn mynd i ddigwydd i mi'n bersonol fydd yn werth ei gofnodi, ond mae Mam-gu'n dweud bod pethe bach bob dydd yn bwysig i haneswyr yn y dyfodol. Mae hi'n dweud bod pobol yn defnyddio gormod ar y ffôn yn lle ysgrifennu llythyre a bod llond gwlad o hanes yn mynd ar goll. Sa i'n addo ysgrifennu llythyre. Wel, does neb 'da fi i ysgrifennu atyn nhw. Mae pawb sy'n bwysig i mi yn byw yn y cwm 'ma.

Cwm y Gwendraeth Fach. Dyma'r lle pwysica'n y byd. Mae Tad-cu'n dweud taw'r cwm hwn fydd y lle olaf lle bydd yr iaith Gymraeg yn cael ei siarad – ar ôl iddi farw ymhobman arall. Beth mae e'n ddweud yw, 'Tra bydd y cwm, fe fydd yr iaith' ac wedyn mae'n adrodd llinellau o farddoniaeth – 'Cofio' gan Waldo Williams. Rhywbeth am 'eiriau bach hen ieithoedd diflanedig', a 'thlws i'r glust ym mharabl plant bychain, ond tafod neb ni eilw arnynt mwy'. Mae Tad-cu'n meddwl y byd o'r iaith a'r cwm. Cerdd arall mae e'n ei hadrodd i mi yw 'Cwm Pennant', gan Eifion Wyn.

> 'Ond byddaf yn teimlo fin nos wrth fy nhân
> Mai arglwydd y cwm ydwyf fi.'

I mi, Tad-cu yw arglwydd Cwm y Gwendraeth Fach. Yn aml iawn fi'n moyn llefen pan mae Tad-cu'n dweud,

> 'Pam, Arglwydd, y gwnaethost Gwm Pennant
> mor dlws,
> A bywyd hen fugail mor fyr?'

Sa i'n moyn i Tad-cu a Mam-gu farw byth. Dyna fi eto, yn crwydro fel hen ddafad ar y mynydd. Fel mae Dadi'n ddweud, 'Ti'n mynd rownd Trimsaran i fynd i Ddafen'.

Sa i'n gwybod pam 'i fod e'n dweud hynna achos sa i erio'd wedi bod yn Nafen. Bydd llawer mwy o ddigwyddiade i ysgrifennu amdanyn nhw fory achos mae pethe wedi digwydd heddi. Wedi blino gormod heno. Fi'n mynd i agor y llenni nawr yn barod erbyn y bore a gwylio goleuade'r pentre'n wincio yn y gwaelod.

Fi'n saff yma. Dweud fy mhader. Yn ôl Mam-gu, rhaid dweud pader bob nos. Diolch i Dduw am bob peth ac am gael teimlo'n saff. Nos da, Llangyndeyrn.

Dydd Mercher, Ionawr 2

Wnes i ddim sôn am hel calennig ddoe. Wel, ro'n i wedi blino gormod neithiwr. Bore ddoe, fe es i a Buddug, fy ffrind gore, ac wrth gwrs Gruff, y gynffon, i lawr i'r pentre i ganu calennig. Sa i'n siŵr a yw plant yn canu calennig ymhobman. Mae mwy nag un grŵp ohonon ni'n canu yma, ac wedi i ni orffen ni'n cwrdd ar y sgwâr o flaen y neuadd i weld faint o arian ni wedi'i gasglu cyn mynd i brynu losin yn siop Dai. Ddoe, gafon ni'n tri bunt rhyngddon, 6/8c yr un. Mae hynna'n ffortiwn! Ro'dd gwerth punt o losin yn ormod, felly fe warion ni swllt a chwech yr un a rhoi'r gweddill yn ein cadw-mi-gei ar gyfer amser llwm. Wedes i ddim wrth Mami faint gafon ni neu bydde'n rhaid i ni fod wedi talu drosto ni'n hunen am fynd i'r cyngerdd yn neuadd yr eglwys neithiwr. Wrth fynd o gwmpas y pentre, ry'n ni'n canu caneuon ni wedi'u dysgu'n yr ysgol ac yn yr Ysgol Sul. Wedi i ni orffen, ry'n ni'n canu, 'Blwyddyn newydd dda i chi ac i bawb sy yn y tŷ'.

Ond os nad yw'r bobol yn dod ag arian i ni, ry'n ni'n canu, 'Blwyddyn newydd ddrwg, llond y tŷ o fwg'.

Cofiwch, does neb yn Llangyndeyrn yn gwrthod rhoi arian i ni, felly so ni erio'd wedi canu'r llinell yna! Mewn ambell dŷ ni'n cael mynd mewn i dwymo a chael mins peis a glasied o laeth neu Tovali. Mae'r mins peis yn ffein, ond losges i 'nhafod unwaith, achos do'n nhw ddim wedi bod mas o'r ffwrn yn ddigon hir. Dipyn o niwsans yw Gruff, achos mae 'i goesau'n fyr ac felly mae'n arafu Buddug a fi. So fe'n gallu canu chwaith. Wel, mae e'n gwneud rhyw sŵn isel yn ei wddwg fel cath yn canu grwndi, a ni'n gorfod rhannu'r arian 'da fe. Mae e hefyd yn conan bod ei *wellies* yn rwto'i goesau nes bod rhimyn coch o dan ei ben-glin. Dim ond yn y bore ry'n ni'n canu – sdim hawl canu calennig ar ôl hanner dydd.

Buddug yw'n ffrind gore i. Mae hi'n byw ar ffarm. Ei thad hi sy'n ffermio, achos mae ei thad-cu wedi ymddeol ac wedi symud i fyw i fyngalo. Ar ein ffarm ni mae Dadi'n ffermio 'da Tad-cu nes y bydd Tad-cu'n ymddeol, ac wedyn bydd Dadi'n ffermio ar ei ben ei hun nes y bydd Gruff yn ddigon hen i ffermio 'da fe. Fel 'na mae pethe'n digwydd man hyn. Mae tad-cu a mam-gu Buddug wedi codi byngalo bach ar bwys y ffarm. Doedd tad-cu Buddug ddim yn moyn mynd i lawr i'r pentre i fyw achos do'dd e ddim wedi arfer cael pobol yn pipo arno fe drwy'r amser. A do'dd mam-gu Buddug ddim yn fodlon bod dynion yn gweld ei dillad isha hi'n sychu ar y lein! Pan fydd tad-cu a mam-gu Buddug wedi marw, bydd tad a mam Buddug yn symud i'r byngalo a Llewelyn ei brawd a'i wraig yn byw yn y ffarm.

Mae'r trefniant 'ma'n gweithio'n iawn. Mae tad-cu Buddug yn gallu mynd lan i roi help llaw ar y ffarm ac mae e hefyd yn mynd ar gefn tractor a threilar â thato, erfin a mangls i'r da, i'w gwerthu o gwmpas y tai a'r ffermydd eraill. Mae tato ac erfin ffein 'da nhw.

Mae pobol o bob cornel o'r cwm yn eu ffonio nhw i archebu erfin a thato – o Bontyberem, Cwm-mawr, Pont-iets ac yn y blaen. Ni'n prynu ganddyn nhw hefyd.

Deuddeg swllt y cant mae Mami'n dalu am dato. Fi'n dwlu pan mae Llewelyn, brawd mawr Buddug, yn dod gyda'i dad-cu. Fe yw'r crwt mwyaf golygus fi wedi'i weld erio'd. Mae e'n dal ac mae llygaid glas, glas, 'da fe a gwallt yr un lliw â modrwy briodas. Fi'n gwybod so fe'n ffansïo fi o gwbwl. Wel, croten fach ydw i iddo fe. Bob tro mae e'n fy ngweld i mae'n dweud, 'Shwd ti, boi'.

Mae e'n un deg pump oed a finne'n ddeg. Mae e'n y Gram yn y dre. Mae *brains* 'da fe. Fe basiodd e'r 11+. Fi'n gorfod sefyll hwnna eleni. Mae'r arholiad yn 'ych â fi'. Dyna'r arholiad mae'n rhaid i ni gyd sefyll yn un ar ddeg oed i benderfynu i ba ysgol ni'n mynd. Fi'n becso'n dwll. Ond 'da phob blwyddyn fe fydda i'n tyfu lan a falle bydda i'n bert. Sa i'n salw nawr, ond fi'n dal ac yn dene.

Neithiwr, ro'dd cyngerdd blynyddol Bethel yn y neuadd. Bethel ydy capel y Baptists yn Llangyndeyrn a Salem ydy capel y Methodists. Fi'n mwynhau Nos Galan yn y neuadd achos mae pawb yn y pentre'n troi mas. Wnes i ymdrech i wisgo'n deidi, gan wybod y bydde Llewelyn yno. Fe wisges i'n ffrog a 'nghot dydd Sul ac fe ges i'r clwme i gyd mas o 'ngwallt cyn ei roi mewn *pony tail*. Gwallt cringoch, cyrliog, byr sy 'da Buddug a gwallt melyn sy 'da fi. Mae hi'n tynnu 'nghoes i, pan fydda i'n gwneud siape wrth lusgo'r clwme mas o 'ngwallt, bod cagle yno fe. Ro'n i wedi trefnu i gwrdd â Buddug tu fas i'r neuadd am chwarter i saith. Es i lawr 'da Dadi a Mami a deuswllt yn fy mhoced i dalu am fynd i mewn. Ro'dd y neuadd dan ei sang, fel arfer. Aeth Dadi a Mami i eistedd i'r sedde hanner coron rhwng y rheilen a'r llwyfan. Deuswllt yw e i sefyll rhwng y rheilen a'r drws, a deuswllt i eistedd ar sil y ffenestri. Do'n i ddim yn gallu credu fy lwc.

Ro'n i'n eistedd gyferbyn â'r sil ffenest ble ro'dd Llewelyn, John a Dai'n eistedd. Ro'n i'n gallu pipo arno drwy'r cyngerdd, ond sa i'n credu bod Llewelyn wedi sylwi fy mod i yno. Fe wnes i fwynhau'r cyngerdd – fel mae Mam-gu'n ddweud bob blwyddyn, 'Dyna beth o'dd cyngerdd safonol'.

Ar ôl y cyngerdd aeth Dadi a Tad-cu i lawr i dafarn y Smith's am bob o ddiod tra arhosodd Mami a Mam-gu i helpu merched capel Bethel yn y cefn. Baptist oedd Mam-gu cyn priodi Tad-cu. Mae Tad-cu'n tynnu'i choes yn aml ac yn dweud,

> 'Baptist y dŵr
> Yn meddwl yn siŵr
> Gaiff neb fynd i'r nefoedd
> Heb eu tynnu drwy'r dŵr.'

Fi'n hoffi mynd i'r *ante-room* yn y cefn ar ôl y cyngerdd, achos mae'r ddau dân mawr yn llosgi'n dwym yn y ddwy grât a'r ddau degell mawr du, trwm yn canu'n hapus. Mae Buddug a fi'n cael sgwlcan yno hefyd. Mae Mrs James, gofalwraig yr ysgol, bob amser yn gwneud yn siŵr ein bod yn cael rhywbeth bach ffein yn ein bolie i'n cadw'n hapus. Mae digon o fwyd 'na, a so aelodau'r côr i gyd byth yn aros – mae rhai o'r bois yn dianc i lawr i'r Smith's. Ro'dd PC Tom yn y cyngerdd fel arfer neithiwr. Mae gweld PC Tom yn ddigon i hala ofan ar unrhyw un. Mae e mor fawr, a phan mae'n codi'i lais a gweiddi, '*Order, Please*', mae'r lle'n mynd yn dawel fel y bedd. Mae'n gwneud hynny cyn i unrhyw drwbwl ddechre. Roedd Llewelyn a'i ffrindie'n sgwlcan yn y cefn hefyd ac yn rhoi help llaw i gadw'r bordydd a'r fforwms tra bod y menywod yn clirio'r llestri ac yn canmol y cyngerdd.

Ro'n i wedi blino'n dwll erbyn ddes i sha thre neithiwr. Ro'dd e wedi bod yn ddiwrnod hir, ond ro'n i wedi mwynhau bob munud yng nghwmni pawb fi'n garu orau yn y byd i gyd yn y lle gorau yn y byd.

Diolch i Dduw am Llangyndeyrn ac am bawb fi'n adnabod ac am bob peth arall. Nos da, Llangyndeyrn.

Dydd Iau, Ionawr 3

Fi ar y ffordd i 'ngwely. Sori, ddyddiadur, ond does dim llawer i'w ddweud heddi. Sa i'n credu ei bod yn werth cofnodi fy mod wedi cael cinio, te a swper. Un cwestiwn ddaeth i'm meddwl i heddi oedd, i ble mae'r brain yn mynd yn y gaeaf? Mae dwy goeden fawr yng ngwaelod yr ardd ac mae brain yn nythu ynddyn nhw bob blwyddyn. Maen nhw'n gwneud nythod mawr, anniben, ac mae'r sŵn mwya cras yn llenwi'r lle. Mae'r nythod yn sefyll o flwyddyn i flwyddyn ond, tua diwedd y gaeaf, dechre'r gwanwyn, mae'r brain yn dod a'u cymoni. Maen nhw'n cael *spring-clean*. Gallwn i roi plac arnyn nhw fel sy y tu allan i Bethel. 'Ail-adeiladwyd yn 1963'. Fi'n gwybod yn union pryd maen nhw'n cyrraedd achos mae Fflei, un o'r cŵn defaid, yn cyfarth arnyn nhw. Mae hi'n cyfarth ar y sguthanod hefyd. Rhaid i mi gofio gofyn i Tad-cu ble mae'r brain yn mynd yn y gaeaf. Mae e'n siŵr o fod yn gwybod.

Fi'n dishgwl ymlaen at weld y lili wen fach gyntaf yn gwthio'i choes fach eiddil drwy'r ddaear galed. Fi'n credu taw hi a briallu yw'r blodau fi'n hoffi fwyaf. Does dim golwg ohoni hyd yn hyn. Cyn bo hir bydd Buddug a fi'n mynd am wâc reit rownd Penplwyf, a bydd y lili wen fach yn llenwi godre'r cloddie. Erbyn diwedd Chwefror bydd y briallu wedi ymuno 'da nhw ac yna, ychydig yn ddiweddarach, seren y gwanwyn.

Ar ôl y Nadolig, dyna beth fi'n ddishgwl ymlaen ato – gweld y lili wen fach a'r brain. Y nhw a Gŵyl Ddewi a fy mhen-blwydd. Fi'n crwydro fel hen ddafad eto ac yn anghofio pethe pwysig. Un peth arall fi'n dishgwl ymlaen ato yw cerdded adref o'r ysgol a gweld yr ŵyn bach yn prancio yn y caeau. Fi'n dwlu pan mae Dadi'n cael oen swci, achos fi'n cael ei fwydo – ond ar yr un pryd fi'n teimlo trueni bod ei fam wedi marw.

Mae hi'n ddydd Gwener fory, a fi'n mynd i Gaerfyrddin 'da Mami, os bydd y tywydd yn caniatáu. Mae'n oer ofnadw ac yn rhewi. Mae fy sgidie ysgol i wedi mynd braidd yn siabi ac yn teimlo ychydig yn dynn. Felly, gan fod yr ysgol yn dechre ddydd Llun, rhaid mynd i brynu rhai newydd.

Ben bore dydd Llun bydda i'n mynd yn ôl i'r ysgol ar ben y bryn at Mr D. A. Jones y mistir a Mrs Kelly.

Agor y llenni. Dweud fy mhader. Diolch i Dduw am y gwanwyn ac am bob peth. Nos da, Llangyndeyrn.

Dydd Gwener, Ionawr 4

Dihuno i flanced o eira bore 'ma. Ro'dd rhai mannau lawer yn waeth na ni. Mewn rhai ardaloedd ro'dd lluwchfeydd a slwsh wedi rhewi yn ei gwneud yn amhosib i deithio. Wedodd Dadi pan ddaeth i mewn i gael ei frecwast fod yr *hunt* yn y

Guildhall wedi'i chanslo. Fe benderfynon ni fynd i'r dre'n syth ar ôl brecwast er mwyn dod yn ôl cyn i bethe waethygu. Fe ddaeth Mam-gu hefyd, ond aeth hi i gael trin ei gwallt tra o'n i a Mami'n siopa. Jiw, mae 'nhraed i wedi tyfu! Seis *four* nawr. Ges i sgidie brown â lasen. So Mami'n credu mewn prynu pethe ffansi i fynd i'r ysgol. Rhywbeth sy ddim yn sbwylio 'nhraed i ac yn eu cadw'n sych. Ro'dd sgidie sodle uchel smart yn Gainsborough. Mae dau bâr 'da Mami, ond sa i'n gallu symud ynddyn nhw. Ballerinas hoffwn i gael – rhai du gyda sane gwyn, ffrog goch a phais â hŵps o dani neu, pan fi'n *teenager*, ffrog dau liw fel rhai Mary Quant. Falle wedyn bydde Llewelyn yn dweud rhywbeth heblaw, 'Shwd ti, boi', wrtha i.

Aethon ni i Siop Dathan. Ro'dd Mami wedi ffansïo siwmper bert yno, un felen. 'Codi calon rhywun yn nhwll gaeaf,' meddai.

Wedyn lan lofft yn y Co-op i brynu neilons i Mami. Tsepach yn y Co-op nag yn Dathan. Rhaid cofio bod difi i gael yno hefyd. Ro'dd Dadi'n tynnu'i choes rhyw ddiwrnod, gan ddweud bod dynion claddu'n perthyn i'r Co-op yn y cymoedd yn rhywle. 'Trueni na fydden nhw i gael yng Nghaerfyrddin, ontefe? Gallet ti gael difi ar dy garreg fedd!'

Wedyn gwrddon ni â Mam-gu yn y *Tea Rooms*. Dyna ble ro'dd hi'n eistedd, yn cyffwrdd ei gwallt yn ofalus bob hyn a hyn. Gafon ni bob o ddishgled o de, sgonen yr un a phlatied o gacs ffein. Ges i *cream horn*. Brathes i'r gwaelod i ffwrdd a sugno'r hufen a'r jam drwodd. Ro'dd e'n ffein. Wedyn ethon ni i WH Smiths i gael comic i Gruff cyn galw yn Woolworths. Mae shwd gymaint o losin gwahanol yn Woolworths. Mae'n siop *magic*. Fi bob amser yn rhyfeddu at y llawr pren tywyll, sy'n gwynto rhywbeth yn debyg i stôrs *ironmongery* Jack Smith. Fe waries i bach mwy o'r arian calennig yno a pheth o arian Gruff drosto. Ro'dd e'n moyn *transfers*.

Wedyn galwon ni yn E. B. Jones am un neu ddau o bethe oedd ddim ar gael yn siop Mr Smith. Rhaid imi ddweud y peth nesa yma, achos fi'n becso. So i wedi gofyn i neb ambyti fe heddi, ond bydd raid i fi achos fel arall bydda i'n ffaelu cysgu. Gofyn i Dadi wna i, siŵr o fod. Yn y *Tea Rooms* daeth hen ffrind i Mam-gu, oedd hi heb ei gweld ers ache, ati i gael *chat* ac meddai, 'Wel, faint mor ddiogel y'ch chi sha Llangyndeyrn erbyn hyn? Oes rhagor o sôn am foddi'r lle?'

'Popeth yn weddol dawel, yn ôl beth fi 'di glywed.'

'Chi'n becso'n dwll, siŵr o fod.'

Bu bron i mi dagu ar friwsion y *cream horn*. Sylwais ar Mam-gu'n taflu cipolwg arna i a wincio ar ei ffrind, 'Ie, bydd raid imi dy ffonio am sgwrs fach. Nawr te, pa newyddion sy 'na o dy ran di o'r byd? Pawb yn bihafio?'

Do, fe droiodd Mam-gu y sgwrs yn go glou. Boddi Llangyndeyrn? Pwy sy'n moyn boddi Llangyndeyrn, a pham? Sa i wedi cael cyfle i ofyn dim byd i Dadi eto.

Ro'dd hi'n pluo'n go drwm erbyn i ni ddod sha thre, a wedodd Dadi fod deg car wedi mynd yn sownd ar dyle Llandyfaelog.

Bues i'n rhoi help llaw i Dadi drwy'r pnawn. Lot o waith cario dŵr a phorthi. Erbyn iddo ddod 'nôl o'r godro ro'dd swper yn barod ac fe fuon ni'n gwylio'r teledu am ychydig. Ffoniodd ffrind i Mami o Beniel i ddweud bod y tywydd yn wael iawn yno. Ro'dd yr hewlydd wedi cau ac ro'n nhw wedi cael rhyw chwythwr eira fel sy ganddyn nhw yng Nghanada i glirio eira oddi ar yr hewlydd.

Fe wedodd Dadi, 'Mae syrpreis 'da Tad-cu i chi fory.' Buodd Gruff a fi'n holi, ond do'dd Dadi ddim yn fodlon dweud gair. Felly, heno, mae pedwar peth ar 'y meddwl i. Y peth pwysica yw, pwy sy'n moyn boddi Llangyndeyrn? Shwd maen nhw'n mynd i wneud hynny? Pa syrpreis sy 'da Tad-cu i ni? Ac yn bedwerydd, ydyn ni'n mynd i gael trwch dwfn o eira? Rhaid aros tan y bore. Newydd agor y llenni a gweld Llangyndeyrn yn bertach nag erio'd o dan ei flanced o eira.

Plîs, Duw, wnei di edrych ar ôl Llangyndeyrn? Diolch am bob peth. Nos da, Llangyndeyrn.

Dydd Sadwrn, Ionawr 5

O'dd, ro'dd trwch da o eira ar lawr bore 'ma. Hwrê! A do, fe gafon ni syrpreis. Ro'dd Tad-cu wedi prynu *pick-up* newydd. Un coch. Ro'dd e'n ddrud iawn – gostiodd e £575 punt!

Sa i'n siŵr iawn ydy Mam-gu'n hapus ei fod e wedi prynu'r *pick-up* newydd, achos wedodd hi ddau beth, 'Os boddith Abertawe'r cwm, fydd dim ei angen e arnat ti', a, 'Hy, gelen ni sawl celficyn newydd o Ben Jones neu T. P. Hughes am y pris yna. Bydd ishe rhai arnon ni os bydd yn rhaid i ni symud o'r fan hyn.'

O! alla i ddim dychmygu Tad-cu a Mam-gu'n symud o Langyndeyrn. Sa i wedi holi neb am y boddi eto am fod pawb mor brysur a'r tywydd mor wael. Mae popeth wedi rhewi. Mae hyd yn oed y pibau dŵr wedi rhewi, a does dim dŵr o flaen yr anifeiliaid. Ni i gyd yn gorfod helpu i gario dŵr. Ro'dd ein dwylo'n goch ac wedi chwyddo er ein bod yn gwisgo menig. Wedodd Mami wrthon ni am eu dal mewn padell o ddŵr twym. Ro'dd e'n rhoi dolur, a dechreuodd Gruff lefen. Chware teg, dim ond un bach yw e. Do'dd ein traed ni ddim mor oer gan ein bod yn gwisgo dau bâr o sane, ac ro'dd Mami wedi rhoi papur newydd ar waelod ein *wellies*. Ond ro'dd pobman yn dishgwl mor dawel ac mor bert. Ro'dd brigau'r coed yn wyn, fel petai rhywun wedi rhoi eisin arnyn nhw, y caeau'n wyn a llawer o bibonwy'n crogi o bobman. Mae Mami wedi dangos i ni shwd i wneud ein pibonwy'n hunain. Ni'n cael cwpan plastig a gwneud pedwar twll yn y top. Wedyn ni'n rhoi llinyn drwyddyn nhw. Gwnaeth mam dwll bach, bach 'da nodwydd yn ei waelod, ei hongian lan tu fas i'r drws cefn a'i lenwi 'da dŵr.

Fi'n rhoi bwyd mas i'r adar, a saim arno fe, bob dydd. Bob bore fi'n rhoi dŵr iddyn nhw hefyd, achos mae'r ffynnon fach lle maen nhw'n cael dŵr wedi rhewi'n gorn.

Gafon ni gawl Mam-gu i ginio. O! ro'dd e'n ffein, a sêr yn wincio ar ei ben e. Fe wnaeth Gruff a fi ddyn eira mawr ac wedyn fe rowlion ni gaseg eira. Ro'dd Fflei ei hofan hi. Ro'dd yn mynd wysg ei chefn o'i blaen hi ac yn cyfarth. Wedodd Mami bod tri asyn bach a thri cheffyl o Lansteffan wedi bod heb fwyd am chwe diwrnod ym Mhenybont, ar bwys Trelech. Ro'dd e yn y *Journal.* Yn ffodus, buodd dau ddyn o'r R.S.P.C.A. yn ddigon glew i fynd â bwyd iddyn nhw neu bydde'r cwbwl wedi trigo. Gymrodd e awr a hanner iddyn nhw drafaelu tair milltir ar ddeg. Ro'dd Trelech yn wael am fod gwynt wedi chwythu'r eira mas o'r caeau dros yr hewlydd. Mae eira'n sbri, ond mae'n gallu bod yn beryglus iawn hefyd.

Fi newydd agor llenni fy ystafell wely ac mae'r lleuad yn goleuo pob man. Bydd yn rhewi'n galed eto heno. Rhaid holi Dadi fory. Pwy fyddai'n gallu meddwl am foddi'r cwm? O! Os bydde nhw'n boddi Llangyndeyrn, bydde'n rhaid i ni symud oddi yma hefyd. Fi'n becso'n dwll.

Rhaid i mi gofio dweud fy mhader bob nos. Plîs, Duw, paid â boddi Llangyndeyrn, a diolch am bob peth arall. Nos da, Llangyndeyrn.

Dydd Sul, Ionawr 6

Aeth yr un ohonon ni i'r eglwys y bore 'ma – roedd pawb yn rhy brysur yn cario dŵr. Ro'dd pibonwy'n dod allan o waelod cwpan plastig Gruff a fi. Fi'n hoffi'r da ar ein ffarm ni. Maen nhw'n disghwl arna i â'u llygaid mawr brown. Maen nhw wastad yn dishgwl yn drist, am ryw reswm.

Fe lwyddodd Tad-cu i fynd â ni i lawr i'r Ysgol Sul yn y *pick-up* newydd. Ro'dd Gruff a fi'n eistedd yn y blaen ac yn teimlo'n posh iawn, a phan arhosodd e o flaen y neuadd, ro'dd y plant yn pipo arnon ni. Pan ddaethon ni allan fe wedodd Ken, Tŷ Ucha, 'Chi 'di cael *pick-up* newydd.'

'Naddo,' wedes i, 'hen un wedi cael golchad yw e.'

Dishgwyliodd yn dwp arna i. Sa i'n hoffi Ken. Mae'n meddwl ei fod e'n gwybod popeth ond dyw hynny ddim yn wir. Mae'n meddwl ei fod yn well na phawb arall. Yn yr haf so'i grys e byth yn dod mas o'i drowser fel un pawb arall, ac yn y gaeaf so fe byth yn anghofio'i facyn poced. So fe byth yn cael stŵr. Ond dyw e ddim yn *teacher's pet* achos does dim ffefrynne 'da Mr Jones na Mrs Kelly. Dyw e byth yn gwneud dim o'i le nac yn anghofio dim byd. Fi'n anghofio rhywbeth byth a beunydd. Mae Mami'n dweud ei fod e'n grwt bach neis. Ydy, rhy neis. Ych! Wedi dod yma o'r dre mae e a'i dylwyth. Siŵr o fod taw dyna'r gwahanieth. So fe cweit fel ni.

Fi'n hoffi'r Ysgol Sul. Mae'r Ficer, y Parch Glyn Alun Williams, yn ffein iawn. Mae lot o blant yn dod ac ry'n ni'n cael sbri. Fi'n dishgwl ymlaen at gael mynd i'r Clwb Ieuenctid mae'r Ficer yn ei gynnal. Mae Llewelyn yn aelod! Ges i ganu'r gloch heddi ar ôl i ni gael ffeit 'da pheli eira. Dyna beth oedd joio! Ro'dd hi'n rhy hwyr ar Dadi'n dod i mewn heno i mi ei holi am y boddi. Sa i'n gweld llawer arno fe y dyddie hyn, mae'n rhy brysur. Ro'n i'n gobeithio y bydde fe'n dod i mewn ar ôl *Land of Song* gydag Ivor Emmanuel ar y teledu. Mae dillad pert 'da'r merched ar y rhaglen, ond ro'n i ar y ffordd i'r gwely ar ôl y *London Palladium* pan ddaeth e i mewn ac ro'dd e'n moyn gweld *Farming and Weather* ar TWW.

Fi'n barod i gysgu nawr ac mae goleuade'r pentre'n dal i befrio. Plîs, Duw, wnei Di ddishgwl ar ôl Llangyndeyrn? Sa i'n moyn i neb ei foddi, a diolch am bob peth. Nos da, Llangyndeyrn.

Dydd Llun, Ionawr 7

So Mami'n credu mod i'n dal i gadw dyddiadur ond fi yn a fi'n mwynhau. Rhyw ddiwrnod, pan fydda i'n hen, gallaf ddarllen hwn a chofio popeth ddigwyddodd. Os galla i ddod o hyd iddo fe erbyn hynny!

Llwyddon ni i fynd i'r ysgol heddi, ond ro'dd hi'n go slip dan draed. Fe ges i sgwrs 'da Dadi heno. Ers hynny fi'n teimlo'n drist. Ro'dd Gruff a Mami yno hefyd. Dringodd Gruff i gôl Mami achos ro'dd ofan arno. Dim ond chwech oed yw Gruff. Fe ddechreuodd e lefen a dweud, 'Sa i'n moyn boddi. Sa i'n gallu nofio.'

'Gruff bach,' wedodd Mami, 'dyw Tad-cu, Dadi a phawb arall ddim yn mynd i adael i neb foddi Llangyndeyrn, ac mae'r cwm i gyd yn mynd i'n helpu. Ni'n gwbwl ddiogel. Does neb yn mynd i gael dwgyd ein tir ni. Ni'n sy'n berchen e.'

Fi'n gobeithio'i bod hi'n iawn. Os boddith y cwm, bydd yr iaith Gymraeg yn marw. Wedodd Dadi nad oedd pobol y cwm yn gwybod dim byd am y bwriad i foddi'r lle. Y tro cynta iddyn nhw glywed am y peth oedd yn y *Western Mail*, Chwefror 16, 1960. Ro'dd yn dweud yno bod dau gynllun ar gael i ddod â rhagor o ddŵr i Abertawe. Do'dd dim digon o ddŵr yno ar gyfer y ffatrïoedd a phethe felly. Un syniad oedd boddi Llangyndeyrn a Phorth-y-rhyd – ac, wrth gwrs, bydde Cwmisfael o dan ddŵr hefyd – i wneud cronfa ddŵr fawr ac argae uchel i gadw'r dŵr i mewn. Bydde wyth o ffermydd dan ddŵr a thair ar ddeg arall yn colli cymaint o dir fel na fydden nhw'n werth eu ffermio. Dangosodd Dadi fap i mi. Wedodd e wrthon ni am beidio becso achos bod pawb yn ein cefnogi. Soniodd e am y cynllun arall hefyd, sef creu argae ar yr afon Cothi, uwchben Brechfa. Mae popeth wedi bod yn dawel ers amser, ond os digwyddith rhywbeth mae Dadi'n dweud bod Llangyndeyrn yn barod. Mae Pwyllgor Amddiffyn 'da ni gyda William Thomas, Glanrynys a'r Parch W. M. Rees wrth y llyw ac mae'r Aelod Seneddol, Lady Megan Lloyd George, wedi cwrdd â ni.

Wrth edrych allan heno, fi'n gallu dychmygu'r argae anferth a ffarm y Llandre o fewn 400 llath iddo. Llyn mawr lle mae caeau nawr, a physgod yn nofio lle mae da a defaid yn pori. Ble maen nhw'n mynd i fynd? Badau yn lle tractorau, pobol o bant yn ein lle ni, sŵn yn lle tawelwch a Saesneg yn lle Cymraeg.

Mae Dadi a Mami i weld yn iawn. Fi'n siŵr ei bod yn waeth ar blant nag ar bobol hŷn, achos so ni'n gallu gwneud dim ambyti'r peth. Dim ond aros fel doli glwt a becso. Sa i'n un dda iawn am wneud dim byd. Fi'n siŵr na fydde'r 'Secret Seven' yn ishte i lawr yn gwneud dim byd. Bydda i'n cael *chat* 'da Buddug yn yr ysgol fory. Fi'n bendant y byddwn ni'n gallu gwneud rhywbeth. Fi'n gwybod taw dyn oedd y Beca fwrodd y gatie i lawr adeg y terfysgoedd erstalwm, ond mae enw cryf 'da fi fel fe. Menyw oedd Gwenllian a frwydrodd dros gastell Cydweli, a thywysoges oedd Buddug a frwydrodd yn erbyn y Rhufeiniaid. Mae gwaed Cymru dewr ynon ni.

A beth am Llewelyn? Dyna enw cryf arall. A Gruffydd hefyd. Does dim rhaid i ni aros a gwneud dim. Gallwn ninnau fod yn barod hefyd. Mae rhywbeth y gall plant ei wneud. Mae 'na ymladdwyr yn dal i fod yn y cwm. Plîs, Duw, helpa ni i achub Llangyndeyrn, a diolch am bob peth. Nos da, Llangyndeyrn.

Dydd Mawrth, Ionawr 8

Beth fi'n weld yn od ambyti eira yw fod popeth mor dawel ac mor olau. So pobol fawr yn ei hoffi o gwbwl. Mae eira'n sbri am sbel, ond so cario'r holl ddŵr i'r anifeiliaid yn sbri o gwbwl. Mae llawer o ysgolion wedi cau ond, dyna fe, mae Llangyndeyrn yn dal i fynd drwy'r cwbwl. Fel mae Mam-gu'n ddweud, 'Beca fach, ni'n gallu gwrthsefyll unrhyw beth yn Llangyndeyrn.'

Do'dd Buddug chwaith ddim wedi clywed yr hanes ambyti boddi'r cwm. Gafodd hi sioc. Er, fe wedodd ei bod wedi clywed ei thad yn dweud wrth ei mam unwaith ei fod e'n dechre danto oherwydd ei fod e'n ffaelu cynllunio ar gyfer y dyfodol. Bod y ffarm yn sefyll yn ei hunfan. Do'dd Buddug ddim yn deall beth o'dd e'n ei ddweud ar y pryd. Ro'dd hi'n credu taw siarad pobol fawr o'dd e, ond nawr mae hi'n deall. Falle bydd dim ffarm ar ôl 'da fe.

A dweud y gwir, do'n i ddim yn gwrando'n astud iawn ar Syr yn mynd 'mlaen am rywbeth neu'i gilydd ar ôl amser chware, achos ro'n i'n gwneud cynllunie yn fy mhen. Ar ôl cinio aeth Buddug a fi am wâc o gwmpas yr iard a wedes i wrthi beth o'dd fy nghynllunie. Ni wedi penderfynu ffurfio clwb o'r enw 'Cymdeithas Cyndeyrn'. Mae cymdeithas yn swnio'n fwy posh na chlwb. Byddwn ni'n gwneud bathodyn i bob aelod a'r llythrenne C.C. arno fe. Fi fydd y Cadeirydd a Buddug fydd yr Ysgrifennydd, achos mae'i hysgrifen hi lawer mwy teidi na f'un i. So ni'n siŵr iawn pwy fydd yr aelode. Dyle bod hawl i bawb, ond sa i'n rhy siŵr ambyti hyn achos wedodd Dadi neithiwr bod ambell ffermwr yn dweud taw gwastraff amser fydd ymladd yn erbyn Abertawe oherwydd does dim gobaith 'da ni. So ni'n dwy'n moyn rhai fel 'na yn y Gymdeithas – gallen nhw sbwylio'n cynllunie ni i gyd. Y broblem yw, so ni'n gwybod pwy y'n nhw.

Yn y diwedd daethon ni i benderfyniad, sef rhoi nodyn bach i bob plentyn yn ein dosbarth ni â'r gair 'cyfrinachol' wedi'i brintio arno. Yn y nodyn fe fydd gwahoddiad iddyn nhw ddod i gyfarfod cyfrinachol fore Sadwrn am ddeg o'r gloch yn yr hen sied wair. Buddug sy'n mynd i wneud y llythyre a finne'r bathodynne. Ro'dd hi'n anodd canolbwyntio drwy wersi'r pnawn hefyd, gan fod cymaint 'da ni i feddwl amdano.

Ar ôl te es i lan i fy stafell i wneud y bathodynne. Dim ond saith sy'n ein dosbarth ni. Dyna rif da. Saith oedd yn y 'Secret Seven'. Wnes i ddim meddwl am hynna o'r blaen. Dim ond dau ddeg pump o blant sy yn yr ysgol i gyd. Fe dorres i gylchoedd o gardbord gwyn, wedyn ysgrifennu'r gair Llangyndeyrn o gwmpas yr ymyl gyda phensil lliw coch. Yn y canol sgrifennais C.C. gyda phensil coch mwy trwchus, ac ychwanegu 1963 ar y gwaelod. Maen nhw'n dishgwl yn dda. Fi wedi rhoi 'safety pin' bach yn sownd 'da selotêp ar gefn f'un i ac un Buddug. Bydd hi lan i bawb arall wneud yr un peth.

Helpu i gario dŵr i'r anifeiliaid wedyn. Mae hi'n dal yn oer ofnadw a'r eira'n dal yn drwch ar lawr. Mae'r tanceri llaeth yn ei chael yn anodd casglu'r llaeth o ffermydd anghysbell, ond ry'n ni'n ffodus.

Ro'dd sosej a pots erfin i swper. Mm! Ro'dd e'n ffein a lot o fenyn arno fe.

Agor y llenni nawr, darllen am funud ac wedyn dweud fy mhader a chysgu. Plîs, Duw, helpa ni i wneud ein gore i achub Llangyndeyrn, a diolch am bob peth. Nos da, Llangyndeyrn.

Dydd Mercher, Ionawr 9

Mae Buddug wedi gwneud y nodyn yn sbesial. Mae'n swnio'n posh dros ben. Fi'n ysgrifennu copi ohono'n fy nyddiadur rhag ofan i mi golli'r gwreiddiol. Mae hi wedi'i sgrifennu mewn inc du ar bapur gwyn.

CYFRINACHOL I SUSAN YN UNIG
(Ar un Susan)

Ar yr ochr arall i'r nodyn mae'r geirie hyn:

Annwyl gyfaill,

Mae croeso i chi ddod i gyfarfod cyntaf 'Cymdeithas Cyndeyrn' yn yr hen sied wair, fore Sadwrn am ddeg. Pwrpas y cyfarfod yw trefnu sut i achub y cwm.

Yn gywir,
Buddug Williams (Ysgrifennydd)
Beca Jones (Cadeirydd)

Fe roion ni gopi i bawb amser cinio, a daeth sawl un i holi beth o e ambyti. Penderfynon ni beidio trafod pethe yn yr ysgol ac aros tan ddydd Sadwrn. Mae'n gyffrous iawn! Ro'dd Buddug yn hoffi'r bathodynne. Byddwn ni'n eu rhoi i'r gweddill yn y cyfarfod ddydd Sadwrn. Ges i un stŵr gan Syr bore 'ma am freuddwydio yn y wers. Breuddwydio fydde ynte hefyd petai ganddo shwd bethe pwysig ar ei feddwl. Maen nhw'n llawer pwysicach na'r 11+.

Mae Tad-cu'n credu bod yn rhaid i'r tywydd waethygu cyn y bydd yn gwella. Ych! Mae fy stafell mor oer, fi'n gwisgo'n fest yn y gwely, ond sa i wedi dweud wrth Mami. Mae Mam-gu wedi gwau balaclafa glas tywyll i Gruff ac un pinc i fi. Sa i'n becso taw rhywbeth i fachgen yw balaclafa – mae'n cadw fy nghlustie, fy ngheg a'm wyneb yn dwym neis.

Fe lwyddon ni i fynd i lawr i Salem heddi. Ro'dd plant a phobol ifanc Salem yn canu ac adrodd dan ofal y gweinidog, y Parch Victor Thomas. Roedden nhw hefyd yn cael bob o lyfr am eu ffyddlondeb i'r Ysgol Sul, a thystysgrif arholiad. Ro'dd llond gwlad o fwyd ffein yn y festri ar ôl y cwrdd, a phawb yn y pentre yno'n joio mas draw.

Nawr fi'n ôl gartre, fi yn y gwely a 'nhraed ar y jar. Fi'n dwym ac yn gysurus. Shwd all neb hyd yn oed *feddwl* am foddi Llangyndeyrn?

Diolch i Dduw am ffrindie ac am bob peth. Nos da, Llangyndeyrn.

Dydd Sadwrn, Ionawr 12

Daeth y diwrnod mawr o'r diwedd. Ar ôl bwyta llond powlen o uwd a mêl arno, a rhoi help llaw i gario dŵr, wedes i mod i'n mynd i weld Buddug. Do'dd hi ddim yn rhwydd trampan drwy'r eira. Ro'dd yn rhaid i mi godi 'nhraed yn uchel ac ro'dd fy nghoese'n flinedig, ond ro'dd yn antur.

Ro'dd Buddug wedi cyrraedd yr hen sied wair o

’mlaen i. Ro’dd llyfr clawr caled ’da hi i gadw cofnodion. Eglurodd bod yn rhaid ysgrifennu i lawr bopeth o’dd yn cael ei benderfynu mewn pwyllgor. Hefyd, ro’dd ganddi rywbeth o’r enw agenda. Ar hwnnw ro’dd hi wedi rhestri’r canlynol: Trysorydd. *Password*. Cronfa. Cynllunie. Ro’dd hi wedi gweld ei mam yn gwneud pethe fel yna pan o’dd hi’n ysgrifenyddes y W.I. Fe droiodd pawb lan ar amser, eu trwyne’n goch a’u welis yn drwch o eira.

Cyn dechre’r cyfarfod go iawn fe roies i fathodyn yr un iddyn nhw. Jiw, roedden nhw’n dishgwl yn dda. Eglures i taw fi o’dd y cadeirydd am taw fi o’dd wedi meddwl am y gymdeithas, a Buddug o’dd yr ysgrifenyddes. Egluron ni pam ein bod ni yno ac yna wedes i bod angen trysorydd. Do’dd ambell un ddim yn deall pam bod yn rhaid cael cronfa. Rhyw getyn Sais yw Martin, a do’dd e ddim yn deall beth o’dd cronfa. Wedes i y bydden ni’n defnyddio’r gronfa i brynu bisgedi a phop i’w cael yn y pwyllgor, a falle gallen roi peth arian at gronfa fawr y Pwyllgor Amddiffyn.

Cytunodd pawb ei fod yn syniad da. Cynigiodd Susan, Pen Rhewl, enw Ken Tŷ Ucha fel trysorydd am fod ei dad yn gweithio mewn banc. Cytunodd pawb achos mae e’n gwneud popeth yn iawn ac mae’n dda mewn symie. Ro’dd e’n mynd i gael llyfr bach a rhoi enw pawb i lawr ynddo, wedyn bydde’n gwybod faint o arian ro’dd pawb wedi’i roi bob tro. Penderfynwyd y byddai pawb yn rhoi tair ceiniog yr wythnos os gallen nhw fforddio hynny.

Y peth nesa oedd cael *password*. Dwedes i y byddai 'Nid Seithennyn' yn un da, achos gadawodd e i Gantre'r Gwaelod gael ei foddi, ond byddai 'Cymdeithas Cyndeyrn' yn gwneud yn siŵr na fyddai cloch eglwys Llangyndeyrn byth yn gorfod canu dan y dŵr. Cytunodd pawb. Penderfynwyd bod yn rhaid i bawb ei ddweud cyn cael dod i mewn i'r sied wair ar gyfer pob cyfarfod, a phob tro roedden ni'n ffonio'n gilydd ar fusnes y gymdeithas.

Y trydydd penderfyniad oedd i wisgo'r bathodynne ar adege swyddogol yn unig, rhag bod pobol yn dechre holi. Mae pobol fawr yn aml yn gallu tywallt dŵr oer ar bethe. Wrth gwrs, fe fyddwn ni'n eu gwisgo yn y sied wair bob tro.

Y peth olaf ar agenda Buddug o'dd enw rhyw ddyn, sef Mr Lillicrap. Chwarddodd pawb pan glywon ni'r enw. Doedden ni ddim wedi clywed shwd enw od erio'd o'r blaen. Do'dd Buddug ddim yn siŵr iawn pwy o'dd e heblaw ei fod e'n rhywun pwysig o Abertawe. Ro'dd hi'n meddwl y dylen ni gael enw arbennig iddo. Cafodd dau enw eu cynnig – 'Y Blodyn' a'r 'Gelyn'. Penderfynodd pawb ar 'Y Blodyn' achos fydde gan neb syniad am bwy roedden ni'n siarad.

Wedyn holodd rhywun am fisgedi wythnos nesa. Gan fod gen i arian calennig ar ôl fe gynigies i brynu bisgedi, ac mae Ken am ddod â phop. Bydd ar y gymdeithas arian i ni'n dau wedyn, a bydd Ken yn cadw cownt.

Daeth y pwyllgor i ben drwy ganu 'Hen Wlad fy Nhadau'. Do'dd Martin druan ddim yn siŵr o'r geirie, felly mae Buddug am eu hysgrifennu allan iddo. Erbyn hynny roedden ni i gyd wedi sythu ac yn falch o fynd sha thre. Ro'dd y balaclafa'n dwym neis. Un peth sy'n od yw ein bod ni i gyd yn fwy o ffrindie'n barod. Gen i bach o drueni dros Martin – dyw e ddim cweit yn deall popeth ni'n ddweud, a rhaid cyfadde mae rhywbeth bach eitha ffein ambyti Ken wrth ddod yn gyfarwydd ag e.

Mae 'nhraed i ar y jar. Mae Mami wedi lapio hen siwmper amdani rhag ofan i mi losgi. Diolch i Dduw am y Gymdeithas. Plîs wnei di'n helpu ni i achub y cwm. Diolch i Dduw am bob peth. Nos da, Llangyndeyrn.

Dydd Sul, Ionawr 13

Dim llawer iawn yn digwydd heddi. Fe lwyddon ni i gyrraedd yr Ysgol Sul, ond do'dd dim llawer yno. Dau beth synnodd fi heddi. Ro'dd Martin yn yr

Ysgol Sul. So fe wedi bod o'r blaen. Un peth wedodd e wrtha i oedd, 'Fi'n cymdeithas'. 'Na neis. Y peth arall synnodd fi o'dd bod Tad-cu wedi mynd â ni i lawr at bont Allt y Cadno pan ddaeth e i'n nôl ni. Ro'dd rhywbeth rhyfedd wedi digwydd. Ro'dd popeth yn bertach nag arfer. Safon ni ar y bont a dishgwl draw at Faes y Berllan. Ro'dd pob brigyn dan eira, a'r awyr yn las, ond ro'dd pobman yn berffaith dawel.

Do'dd yr afon ddim yn llifo. I ble mae'r ddau grëyr wedi mynd? Ro'dd y Gwendraeth Fach wedi rhewi. Ych! Dyma'r afon sy'n mynd i ddadleth a'n boddi ni. Na! Nid ar y Gwendraeth Fach mae'r bai. Ar y Blodyn mae'r bai. Ffonies i Buddug heddi achos ro'n i wedi meddwl am rywbeth. Fe gofies i ddweud 'Nid Seithennyn', cyn dechre siarad. Ro'dd hi wedi meddwl yr un peth â fi. Bydde'n beth da gwneud rhyw arwydd ar ein gilydd pan ry'n ni'n cwrdd yn yr Ysgol Sul neu rywle. Cawn drafod yn y cyfarfod nesa.

Mae Tad-cu wedi bod yn gwrando ar *Farming and Weather* ar y teledu ac yn dweud ei bod yn addo rhagor o eira cyn diwedd yr wythnos. Mae hi bron yn amser ŵyna. Druan o'r ŵyn bach, a druan o Dadi'n gorfod mynd mas yn yr oerfel i ddishgwl ar eu holau nhw. Os bydd un yn dost bydd yn dod â fe i mewn i'r sgubor, ac weithie bydd yr oen bach yn dod i'r tŷ o flaen y Rayburn i gadw'n dwym.

Fi wedi dod i'r gwely'n eitha cynnar heno achos fi wedi cael llyfr newydd i'w ddarllen, *The Call of the Wild*, gan Jack London. Mae e wedi ysgrifennu *White Fang* hefyd. Os bydda i'n hoffi hwn fe ddarllena i hwnnw wedyn. Fi newydd bennu *What Katy Did*. Ro'dd e'n arbennig. Fi'n mynd i ddarllen *What Katy Did Next*, pan ga i gyfle i fynd lawr i'r llyfrgell.

Sa i'n becso dim am yr 11+ yn Saesneg nac yn Gymraeg. Fi'n iawn gyda unrhyw beth sy'n defnyddio geirie, ond mae symie'n *double dutch*. Fi'n iawn 'da *intelligence* a *reasoning* ond mae'r ddau'n hedfan mas drwy'r drws pan mae fy meddwl i'n gweld symie. Dim ond rhyw ddau fis sydd i fynd tan yr arholiad.

Plîs Dduw, helpa fi i ddeall symie a phlîs paid â gadael i'r Blodyn foddi Llangyndeyrn. Diolch i Dduw am bob peth. Nos da, Llangyndeyrn.

Dydd Llun, Ionawr 14

Hwrê, mae oen cynta'r tymor wedi'i eni. Fe ddaeth e'n gynt nag oedd Dadi'n feddwl, ond wrth lwc mae e a'r fam yn iawn. Am ei bod hi mor oer aeth Mami, Gruff a fi mas â thywel twym 'da ni. Fe rwton ni'r oen yn y tywel twym ar ôl i'w fam ei luo'n lân. Do'dd hi ddim yn hapus iawn ein bod ni'n gwneud hyn i'w babi hi. Ro'dd hi'n brefu fel rhywbeth hanner call a dwl. Fe dawelodd pan gafodd hi fe'n ôl ar ei goese bach sigledig. Mae'i goese'n dene a gwlanog fel pethe glanhau pîb Tad-cu. Mae'n smala pan mae'n sugno, a'i gwt bach yn siglo fel cynffonne ŵyn bach ar frigau'r coed cnau yn y gwynt.

Dim ond ambell lili wen fach sy wedi mentro mas hyd yn hyn.

Ry'n ni wedi penderfynu ar arwydd. Fe fyddwn ni'n codi'n dwylo at ein gên a'u gwasgu gyda'i gilydd fel petaen ni'n gweddïo. Roedden ni'n meddwl bod hynny'n arwydd o sefyll yn glòs gyda'n gilydd. Byddwn yn ei wneud bob tro y byddwn yn cwrdd, a phob tro y byddwn yn gweld ein gilydd.

Gafon ni bwdin ffein heddi yn yr ysgol. Ro'dd Mrs Adams wedi gwneud pwdin sbwng 'da chwstard pinc i ni. Mae rhai o'r bechgyn yn hoffi cwstard pinc, a Gruff yn un ohonyn nhw. Mae Mami'n dweud bod Mrs Adams yn ein sbwylio ni.

Mae pobman yn dal wedi rhewi ac fe gwmpodd Richard ar yr iard heddi. Wrth gwrs, does dim ffôn yn yr ysgol ac fe fu'n rhaid i Syr fynd lawr i'r seit i nôl ei fam a galw am ambiwlans. Ro'dd Richard druan yn llefen. Rhaid i ni fod yn ofalus iawn oherwydd y rhew.

Plîs, Duw, gwna goes Richard yn well. Helpa fi i

ddeall symie. Paid â gadael i'r Blodyn foddi Llangyndeyrn, a diolch am bob peth arall. Nos da, Llangyndeyrn.

Dydd Mawrth, Ionawr 15

Newyddion drwg heddi. Mae Richard druan wedi torri'i goes. Mae e wedi dod sha thre, ond mae ei goes mewn plastr mawr gwyn. Ry'n ni, ei ddosbarth, yn cael mynd i lawr i'w weld e amser cinio fory a byddwn yn mynd i siop Dai i brynu losin iddo fe. Wedodd Syr y dylen ni ofyn i'n rhieni am ganiatâd.

Wedodd Mami bod hynny'n iawn. Gallwn ni ddweud wrtho fe am yr arwydd os na fydd ei fam yna. Newyddion drwg arall – fe wnes i'n waeth nag arfer gyda'r symie heddi. Sa i'n deall *areas* o gwbwl. Mae *yards, feet and inches* yn . . . O! sa i'n gwybod. Wedyn mae'n *square this and square that*. Mae Syr yn mynd ymlaen ac ymlaen am ryw garpedi ac ati, ac mae niwl trwchus yn llifo dros fy ymennydd i a sa i'n gweld na deall dim. Fi'n becso. Mae'r 11+ ar y gorwel. Mae'r Blodyn yn moyn boddi Llangyndeyrn. Bydd gan yr oen bach gafon ni neithiwr unman i fynd, ac ar ben popeth mae Richard wedi torri'i goes.

O! Dduw, mae popeth yn mynd o chwith. Mae

dawns y Sioe i fod i'w chynnal yn neuadd Llandyfaelog nos Wener 25ain o 9 tan 1. Pum swllt yw pris y tocyn. Fe weles i yn y *Journal* taw Les Randall & his Dance Orchestra sydd yno. Bydd yn siŵr o fod yn posh, ond os na fydd y tywydd yn gwella fydd fawr neb yno. Plîs, Duw, rho help i ni a diolch am bob peth. Nos da, Llangyndeyrn.

Dydd Mercher, Ionawr 16

Mae Tad-cu'n dweud bod yr awyr yn llawn a'i bod yn addo rhagor o eira. Mae'n deall yr holl arwyddion. Mae'n dweud wrtha i, 'Beca fach, fi wedi gallu dweud y tywydd cyn gweld unrhyw ragolygon ar y teledu erio'd. Fi'n gwylio nawr jyst i wneud yn siŵr eu bod nhw'n ei gael yn reit.'

Mae'n galed ar Dadi a Tad-cu, yn gorfod cario dŵr drwy'r dydd i'r anifeiliaid. Mae Mami'n rhoi help llaw a Mam-gu'n gwneud y bwyd. Fe wnaeth hi stiw cig eidion heno a thwmplenni ynddo fe, a phwdin bara i bwdin. Ffein!

Aethon ni i weld Richard. Cerddon ni i lawr y llwybr bach yn ofalus dros ben, yna i lawr drwy'r cae a'r fynwent i siop Dai. Ro'dd yr eira'n drwch dan ein traed. Ro'dd hi'n oer uffernol (sori, Mam-gu). Brynon ni i gyd losin i Richard. Pan aeth ei fam allan o'r ystafell i nôl bob o fisgïen a glasied o bop i ni, fe ddwedon ni wrtho fe am yr arwydd ac fe wnaethon ni e eto wrth adael. Fydd e ddim yn gallu dod i'r cyfarfodydd am sbel, ond fe fyddwn ni'n dod i ddweud wrtho beth sy'n digwydd.

Mae Syr yn mynd i hala gwersi iddo oherwydd yr 11+. Daeth ei fam â beiro i ni er mwyn i ni sgrifennu ein henwe ar y plastr. Fe roion ni i gyd C.C. ar ôl ein henwe.

Mae dawns i fod yn y neuadd yr wythnos nesa. Mae pobol yn dod o bell i'r dawnsfeydd hyn fel arfer, ac maen nhw wedi gwisgo'n swanc 'da lot o golur. Bydd yr elw'n mynd at adnewyddu'r tŵr a'r neuadd. Sa i wedi gweld pobol yn mynd 'na ond ro'dd Buddug wedi mynd da'i thad i hebrwng ei anti unwaith. Ro'dd hi'n dweud bod y menywod wedi gwisgo lan. Falle rhyw ddiwrnod, pan fydda i'n henach, bydda i'n mynd a dawnsio 'da Llewelyn. Os bydd Llangyndeyrn yn dal yma. So Tad-cu'n credu bydd y ddawns yn cael ei chynnal. Mae eira mawr yn y gwynt. 'Eira mân, eira mawr,' medde fe, ac mae'r eira sy'n cwmpo nawr yn fân ac yn sych.

Traed ar y jar. Cwtso dan y blancedi. Maen nhw'n drwm neis. Diolch, Dduw am gartre a gwely twym ac am bob peth. Nos da, Llangyndeyrn.

Dydd Iau, Ionawr 17

Ffaelu'n lân â gwneud fy symie'n iawn heddi. Dadi'n dweud y bydd e'n rhoi help i mi, ond sa i'n gwybod pryd gaiff e amser. Lot fawr o ŵyn yn cael eu geni nawr ac ry'n ni'n dal i orfod cario dŵr. Sa i'n credu bod Dadi, Mami a Tad-cu byth yn twymo'n iawn y dyddie hyn. Wedodd Dadi amser swper am beidio becso am symie – beth bynnag ddigwyddith yn yr arholiad 11+, fe fydda i wedi dysgu gyrru'r hen fan fach o gwmpas y caeau cyn hynny. Erbyn hyn mae 'nhraed i'n cyffwrdd y pedale ac fe ga i ddechre cyn gynted ag y bydd y rhew a'r eira wedi clirio.

'Beth bynnag, Beca fach,' wedodd Tad-cu, 'does neb yn ffaelu'r 11+. Pasio i Bontyberem neu basio i Gaerfyrddin mae pawb. Pawb yn mynd i ble sy'n 'u siwtio nhw ore.' Teimlo'n well ar ôl clywed geirie Tad-cu. Diolch i Dduw am Tad-cu ac am bawb a phob peth. Plîs, Duw, cofia Llangyndeyrn. Nos da, Llangyndeyrn.

Dydd Gwener, Ionawr 18

Mae'r eira'n waeth. Wedodd Syr ar ddiwedd y dydd na fydd ysgol ddydd Llun. Mae'r dŵr wedi rhewi ac fe ddaeth dŵr lan o'r pentre i'r ysgol heddi mewn *churns* llaeth. Mae cannoedd heb ddŵr o gwbwl ac mae Mami'n sôn y bydd yn rhaid dogni dŵr yn fuan. Do'n i ddim yn sylweddoli gymaint o ddŵr mae'r da'n gallu'i yfed. A bod yn hollol onest, mae Gruff a fi'n dechre blino cario dŵr.

Does dim pwynt gwneud dyn eira arall am fod y llall yn dal ar ei draed, a dyw Fflei ddim yn cyfarth ar y gaseg eira erbyn hyn. Mae wedi arfer â'r hen beth.

Mae'r rhan fwyaf o ysgolion cynradd y sir ar gau. Fi ddim yn siŵr allwn ni gael cyfarfod o'r gymdeithas fory. Pawb sy'n gallu cyrraedd y sied i ddod – dyna'r neges. Fi'n mynd â bisgedi os bydda i'n llwyddo i lusgo fy hun drwy'r eira.

Wedi agor y llenni a meddwl shwd ar wyneb y ddaear mae esgimos yn gallu byw fel hyn drwy'r amser. Allan nhw byth fod yn cael bath a thynnu fest i fynd i gysgu.

Diolch i Dduw am bob peth heblaw gormod o eira. Nos da, Llangyndeyrn.

Dydd Sadwrn, Ionawr 19

Do, fe gafon ni bwyllgor byr. Yr unig beth wnaethon ni o'dd cael bob o fisgïen a diod o bop, a phenderfynu ein bod i gyd yn mynd sha thre i feddwl am gynllun. Cofiwch, fe gafon ni sbri cyn mynd. Casglu hen fagie gwrtaith mawr o'r Llandre a sglefrio i lawr y cae dan yr ysgol. Jiw, ro'dd fy mhen-ôl i'n dost! Wedyn gafon ni i gyd Ribena twym yn y Smith's, a hynny am ddim. Dim ond pobol Llangyndeyrn sy'n gwneud pethe fel 'na.

Mae'r Tywi wedi rhewi drosti o lan i lan am y tro cyntaf er 1940. Mae'r afon wedi rhewi am ganllath i'r de o'r bont. Mae blociau anferth o iâ yno – tua phump i chwe troedfedd o uchder a phedair troedfedd o led. Mae'r llyn ym Mhalas yr Esgob, Abergwili, wedi rhewi ers pythefnos, a'r penwythnos diwetha gafon nhw gêm o hoci iâ arno fe.

Ni wedi cael ein hoen swci cyntaf heddi. O! mae'n bert. Lili yw ei henw, ar ôl y lili wen fach, ac mae'n cwtso o flaen y Rayburn. Jiw, mae'n tynnu pan fi'n rhoi'r botel yn ei cheg.

Wedi dechre meddwl am gynllunie ar gyfer y Gymdeithas. Mynd i agor y llenni nawr.

Diolch i Dduw am bob peth, ac am Lili. Nos da, Llangyndeyrn.

Dydd Llun, Ionawr 21

Hwrê! Dim ysgol heddi. Mae'r eira wedi gwaethygu eto dros nos. Buodd Gruff a fi'n helpu i glirio llwybre o gwmpas y lle. Mewn un man aeth yr eira i mewn i welis Gruff dros y top. Do'dd e ddim yn hapus o gwbwl. Ro'dd e'n well ar ôl i ni gael diod o 'Drinking Chocolate' twym a bisgïen.

Mae Dadi wedi trio cael dafad arall i dderbyn Lili, ond heb lwc. Sa i'n becso. Fi'n dwlu'i chael man hyn yn brefu. Bydd yn rhaid iddo aros i ddafad arall golli'i hoen a thrio eto.

Ar ôl cinio eisteddes o flaen y Rayburn yn meddwl, a dyma fi nawr yn rhoi fy nghynllunie i lawr ar bapur. Y peth pwysica yw ein bod yn gwneud yn siŵr nad oes neb dieithr yn dod i'r pentre rhag ofan taw un o fois y Blodyn yw e, neu falle'r Blodyn ei hun. So ni erio'd wedi'i weld e. Enw da i fois y Blodyn fydde Chwyn. Bydd yn anodd gwneud hyn dros y gaeaf am ein bod yn yr ysgol drwy'r dydd ac mae'n dywyll gyda'r nos. Mae'n ddigon hawdd adnabod dieithryn yn Llangyndeyrn.

Hefyd mae angen i ni ddod yn gyfarwydd â cheir y pentrefwyr, a'u rhife. Os byddwn yn gweld rhywun dieithr neu gar dieithr rhaid i ni eu gwylio heb iddyn nhw sylwi a ffonio'n gilydd cyn gynted â phosib. Gall pawb fod yn gyfrifol am ffonio un person. Gwneud cadwyn. Fi'n ffonio Buddug, a Buddug yn ffonio Ken ac yn y blaen. Ond os na fydd Buddug ar gael yna fe fydda i'n ffonio Ken. Rhaid i bawb gael llyfr bach i ddodi pethe pwysig fel hyn i lawr. Ar y clawr gall pob un sgrifennu'r geirie 'LLAWLYFR Y GYMDEITHAS'.

Pan ddaw'r gwanwyn bydde'n syniad trefnu rhywbeth i godi arian i helpu'r gronfa fawr. Bydde'n sbri. Ffonio Buddug fory. Ych! Mae Dadi wedi dweud ei fod e'n mynd i roi symie i mi wneud fory, rhag i mi golli gormod o wersi. Bydde hyd yn oed cario dŵr a phorthi'n well na symie.

Wedi agor y llenni ar y pentre mwyaf prydferth yn y byd. Duw, diolch am bob peth heblaw symie a Chorfforaeth Abertawe. Plîs edrycha ar ôl Llangyndeyrn. Nos da, Llangyndeyrn.

Dydd Gwener, Ionawr 25

Mae'r tywydd yn dal yn wael, a Threlech ar gau ers pump diwrnod. Mewn rhai mannau mae hi wedi rhewi mor galed fel bod yn rhaid i bobol ddefnyddio caib i dorri drwy'r iâ, ac mae llawer o hewlydd gwledig wedi rhewi'n solet. Ro'dd Tad-cu'n dweud bod y tymheredd dan y rhewbwynt ers tri deg pedwar diwrnod. 'Bydd y gaeaf yma'n mynd i lawr mewn hanes,' meddai, 'mae'n waeth hyd yn oed na 1947.'

Mae cannoedd o gartrefi heb ddŵr, a phob ysgol gynradd yn dal ar gau. Dim ond am ddau ddiwrnod mae llawer wedi bod ar agor hyd yn hyn eleni. Fi'n dal i weithio ar y symie. Maen nhw'n gwella rhyw ychydig.

Mae Buddug wedi dweud wrth Llewelyn am y Gymdeithas, ac ro'dd e'n meddwl ei fod yn syniad da iawn. Mae am roi help llaw i Buddug gyda rhife ceir. Does dim llawer y gallwn ni wneud nawr. Ni'n saff ar hyn o bryd. Fydd y Blodyn a'i Chwyn ddim yn gallu dod yma'n rhwydd iawn. Rhaid cadw llygad barcud ar ôl y dadleth.

Mae Dadi wedi cael mam arall i Lili. Fi'n mynd mas i'w gweld bob dydd. Fi'n siŵr ei bod yn gwybod pwy ydw i. Mae wedi bod yn anodd iawn 'da'r ŵyna. Wrth lwc, so ni wedi colli cymaint â hynny.

Rhaid i mi gyfaddef bod cwpwl o ddyddie bant o'r ysgol yn sbri, ond erbyn hyn rwy'n moyn gweld fy ffrindie a chael cyfarfod o'r Gymdeithas. Mae'r byd i gyd fel petai ar stop.

Mynd i ddarllen ychydig ar *The Call of the Wild*. Mae'n dda iawn.

Duw, diolch am dy ofal dros yr ŵyna, am gael mam i Lili ac am bob peth. Nos da, Llangyndeyrn.

Dydd Sul, Ionawr 27

Syrpreis bendigedig. Mae Tad-cu wedi gwneud sled i ni. Ro'dd Gruff yn dawnsio lan a lawr fel peth dwl. Aethon ni draw i'r cae dan berllan a chael sbri a Gruff a fi'n mynd ar y sled 'da'n gilydd. Do'dd llywio ddim yn rhwydd i ddechre, ond fe ddes i'n giamster arni. Gwmpon ni sawl gwaith, ond dim byd cas. Meddylies y bydde'n syniad da rhoi Fflei yn sownd i'r sled a gweiddi *Mush on* arni iddi gael ein tynnu fel yn *The Call of the Wild*. Ond na, bydden ni'n rhy drwm iddi. Joion ni mas draw. Ro'dd Mami'n cael trafferth i'n cael i mewn i'r tŷ amser cinio.

Ges i symie *areas* yn iawn pnawn 'ma. Gruff a fi wedi cael syniad arall beth i wneud fory heblaw mynd ar y sled. Mae *swing* rhaff 'da ni ar un o goed y berllan. Ry'n ni wedi penderfynu swingio arni, ddim yn rhy uchel nac yn rhy glou, ac wedyn neidio oddi arni i mewn i'r eira i weld pwy sy'n gallu neidio bellaf. Mae'r eira'n drwchus neis yno. Chawn ni ddim dolur.

Wedi bennu *The Call of the Wild*. Fi'n casáu pobol sy'n gas wrth anifeiliaid bron gymaint ag rwy'n casáu'r Blodyn a'i Chwyn.

Agor y llenni nawr. Cwtso lawr gyda'r jar.

Diolch i Dduw am allu cael sbri ac am bob peth. Nos da, Llangyndeyrn.

Dydd Llun, Ionawr 28

Fi enillodd y gêm neidio oddi ar y *swing*. Ro'dd e'n lot o sbri, ond ar ôl sbel roedden ni'n wlyb socian. Do'dd Mami ddim yn rhy hapus! Mae'r tywydd damed bach yn well. Falle y gallwn ni fynd yn ôl i'r ysgol fory.

Wedi cael syniad arall ar gyfer y Gymdeithas. Falle gallen ni gael jymbl sêl o'r comics, y llyfre a'r cylchgrone ni wedi bennu 'da nhw. Gallen ni roi'r arian at y Gronfa Amddiffyn neu at adnewyddu tŵr a neuadd yr eglwys.

Ffoniodd Buddug – mae Llewelyn wedi bod yn gweithio ar restre ceir. Unwaith y bydd y tywydd yn gwella bydd yn rhaid i ni fod ar wyliadwriaeth i warchod y pentre.

Plîs, Duw, bydd yn nerth i ni. Diolch i Dduw am bob peth. Nos da, Llangyndeyrn.

Dydd Iau, Ionawr 31

Yn ôl yn yr ysgol ond ro'dd hi'n oer ofnadw yno a phawb yn cwtso rownd y stôf. Y peth gwaethaf o'dd bod dim dŵr. Ro'dd y pibau'n dal wedi rhewi. Unwaith eto, daeth rhai o'r pentrefwyr â dŵr lan i ni mewn *churns*.

Penderfynon ni ein bod yn mynd i gwrdd ddydd Sadwrn i drafod ein cynllunie.

Ro'dd angladd i fod yn y fynwent fory, ond mae wedi cael ei gohirio am fod y ddaear yn rhy galed i dorri bedd. Os oes angladd amser chware neu amser cinio so ni'n cael mynd mas rhag ofan i ni wneud sŵn gan ein bod yn gallu gweld y fynwent o'r iard. Byddai'n handi petai'r angladd wedi bod, achos mae'n rhy oer i fynd mas a ta beth mae Syr ofan i ni gwympo.

Mynd i gysgu. O Dduw, bydd gyda theulu'r un sydd wedi marw a diolch am bob peth. Nos da, Llangyndeyrn.

Dydd Gwener, Chwefror 1

Hwrê! Newyddion da. Mae'r brain wedi dod yn ôl. Ro'n i'n gwybod cyn gynted ag y cyrhaeddes i gartre. Weles i mohonyn nhw'n syth, ond ro'dd Fflei'n cyfarth yn gas at y coed. Cyn hir bydd wedi dod i arfer â'u cael o gwmpas unwaith eto. Pan maen nhw'n atgyweirio'u nythod mae'r sŵn ar ei waethaf. Pan maen nhw'n dwgyd brigau ei gilydd ac yn cweryla mae hi fel petai'n rhoi stŵr iddyn nhw. Os boddan nhw Llangyndeyrn, fydd y brain yn dal yma? Bydd yn rhaid iddyn nhw hedfan i rywle arall. Fydd dim bwyd iddyn nhw ffordd hyn.

Mae'r Gymdeithas yn cwrdd fory. Hwrê! Nos da, frain. Croeso 'nôl.

Diolch i Dduw am fyd natur ac am bob peth. Nos da, Llangyndeyrn.

Dydd Sadwrn, Chwefror 2

Ges i fynd lawr i'r pentre 'da Tad-cu. Ro'dd e'n mynd i Swyddfa'r Post ac wedyn i'r stôrs at Jack Smith. Gafon ni siom ofnadw ar ôl cyrraedd y sied wair – ro'dd y llygod wedi bwyta'r bisgedi i gyd.

Pob un wan jac! Ni oedd yn dwp. Dyle plant y wlad wybod yn well na gadel bwyd ambyti'r lle, yn enwedig mewn hen sied wair.

Gafon ni sawl syniad da heblaw fy rhai i. Unwaith y bydd y tywydd yn gwella a'r dydd yn ymestyn, byddwn yn cymryd ein tro i fod ar patrôl. Byddwn yn gallu mynd ar ein beicie. Wrth gwrs, fydd dim llawer o amser 'da ni tan ar ôl yr 11+. Ar ôl hynny byddwn yn trefnu sêl lyfrau, a gwahanol gêmau fel dyfalu faint o losin sy mewn potel, stopio wats a dyfalu pryd gafodd hi ei stopio, a llawer o bethe eraill.

Byddwn yn cadw peth o'r arian i brynu pethe fel bisgedi a phop i ni'n hunen, ond bydd pob dimai arall yn mynd i'r gronfa. Mae Llewelyn wedi rhoi rhestr o rife ceir pobol ry'n ni'n adnabod i ni, ac ro'dd ganddo syniad gwych arall hefyd – cadw llygad mas am unrhyw gar â'r llythrenne WN, NY, CY ac L. Dyna rife cofrestru Morgannwg ac Abertawe. Ni gyd wedi'u hysgrifennu nhw i lawr yn ein llyfre bach. Fe benderfynon ni naill ai ddweud wrth ein rhieni neu, os o'n ni yn y pentre, mynd i ddweud wrth Mrs W. M. Rees, mam Non a Hywel. Wedodd Susan taw nid ni yw'r unig rai sy'n cadw llygad ar agor. Mae menywod y pentre yn mynd yn amheus os ydyn nhw'n gweld dieithryn yn y pentre, yn y siop neu'n stopio ar y sgwâr, ac mae tad Susan yn dweud bod hawl 'da mam Susan nawr i ddilyn ei hobi, sef pipo o'r tu ôl i'r llenni! Ni'n ffodus iawn bod Arwyn a Morina Richards, Llandre, ar y sgwâr a'r Parch a Mrs W. M. Rees a Mr a Mrs Smith yn Swyddfa'r Post. Maen nhw'n gallu gweld popeth.

Yn ystod y gwylie gallwn ni fod ambyti'r lle drwy'r dydd, bob dydd. Byddwn ni'n ysbïwyr answyddogol.

Mae heddi wedi bod yn ddiwrnod da. Diolch i Dduw am y Gymdeithas a syniade newydd ac am bob peth. Nos da, Llangyndeyrn.

Dydd Mercher, Chwefror 6

Chredwch chi byth, ond mae'r ysgol ar gau unwaith eto oherwydd y tywydd. Bydda i'n gallu defnyddio'r tywydd fel esgus os bydda i'n ffaelu'r 11+!

Gan taw Baptist yw Buddug, y Parch W. M. Rees yw ei gweinidog. Mae hi'n dweud ei fod e'n gofyn i Dduw achub Llangyndeyrn bob tro mae e'n gweddïo. Wedyn mae hi'n dweud dan ei hanal, 'Plîs Duw, gwranda arno fe'. Ro'n ni'n siarad ar y ffôn heddi ac ro'dd hi'n ffaelu deall, os taw 'Duw cariad yw' yw e, shwd mae'n gallu gadel i Abertawe foddi'r Cwm?

Buodd Ken ar y ffôn. Ro'dd ei dad wedi gweld llyfr cownt y Gymdeithas. Mae e wedi dangos i Ken shwd i neud pethe'n iawn. Soniodd Ken wrtho am y llygod yn bwyta'r bisgedi, ac ro'dd ei ateb yn syml – eu cadw mewn tun! Roedden ni'n dwp. Plant y wlad wedi gwneud shwd beth hurt! So ni'n haeddu pasio'r 11+!

Diwrnod arall wedi mynd ac ry'n ni'n dal yma. Diolch i Dduw am bob peth. Ond Dduw, os wyt ti'n rhydd i wrando, ni wedi cael digon o rew ac eira erbyn hyn. Mae Tad-cu, Dadi a Mami wedi blino'n tswps ac mae Gruff a fi wedi cael llond bola ar weld bwcedi, er taw bwced bach sy 'da fi ac mae un Gruff yn llai fyth. 'Mae pob dropyn yn help,' fel mae Tad-cu'n ddweud.

Nos da, Dduw. Nos da, Llangyndeyrn.

Dydd Gwener, Chwefror 8

Fi wedi clywed y peth mwya twp erio'd heddi. Ro'n i wedi mynd draw at Mam-gu am *chat* bach ac i sgwlcan cwpwl o bice bach, a bues i'n ei holi hi am y boddi a phethe felly. Wedodd hi os bydde Abertawe'n boddi'r Cwm, fe fydden nhw'n codi Porth-y-rhyd newydd ar dir yn uwch i fyny. Shwd? Nid Porth-y-rhyd fydde fe wedyn. Petaen nhw'n codi Llangyndeyrn newydd rhwng man hyn a Chwmffrwd, nid Llangyndeyrn fydde fe ond rhywle rhwng Llangyndeyrn a Chwmffrwd. Alle fe byth â bod yn Llangyndeyrn achos fydde Eglwys Sant Cyndeyrn ddim yno. Dyna ddangos mor dwp yw'r pethe Abertawe 'na.

Diolch i Dduw am ddangos i fi mor dwp yw'r Blodyn a'i Chwyn. Diolch i Dduw am bob peth. Nos da, Llangyndeyrn.

Dydd Sul, Chwefror 10

Ar y newyddion heddi ro'dd hanes am rywun wedi ffrwydro rhywbeth o'r enw trosglwyddydd yn Nhryweryn. Do'dd neb wedi cael dolur. Druan o bobol Capel Celyn. Bydd tua wyth can erw o dir a deuddeg ffarm yn cael eu boddi yno. Maen nhw eisoes wedi bwrw'r tai i lawr, wedi chwalu'r capel, wedi mynd â'r cerrig beddi bant, ac wedi chwalu'r ysgol a'r llythyrdy er mwyn i Lerpwl gael dŵr. So Lerpwl hyd yn oed yng Nghymru! Ro'dd Mami'n dweud bod pobol Capel Celyn wedi brwydro yn erbyn yr awdurdode am flynyddoedd ac ro'dd llawer o bobol pwysig yn eu helpu. Ond lwyddon nhw ddim. Pobol fel Lady Megan Lloyd George ac Ifan ap Owen Edwards. Does neb pwysig 'da ni heblaw am Lady Megan. Neb ond y ni. Mae Mami'n dweud ei fod yn well fel hyn.

Mae'n drueni mawr dros y bobol a'r plant yn Nhryweryn. Maen nhw wedi cael eu gwasgaru dros y lle ym mhob man. Rhaid i mi beidio meddwl gormod neu bydda i'n ffaelu cysgu. Fi'n mynd i feddwl am bethe neis fel parti pen-blwydd Buddug a Llewelyn, pasio'r 11+ a mynd i'r ysgol ar yr un bws â Llewelyn bob dydd.

Reit, cysgu. Diolch i Dduw am freuddwydion ac am bob peth. Nos da, Llangyndeyrn.

Dydd Llun, Chwefror 11

Wedi gallu mynd yn ôl i'r ysgol, ond erbyn heno sa i'n siŵr iawn pam mod i'n moyn mynd shwd gymaint. Mae Syr yn llwytho gwaith cartre arnon ni. Fi wedi cael llond bola o ddweud: 'Ten shillings is half a pound. Five shillings is a quarter of a pound. Six shillings and eightpence is one third of a pound. Half a crown is one eighth of a pound,' ac ymla'n ac ymla'n fel tôn gron.

Wedyn ni'n mynd ymla'n at: 'Twelve inches one foot, three feet one yard,' wedyn: 'Two pints one quart, four quarts one gallon,' ac ati. Mae'n ddiflas tu hwnt.

Fi'n dwlu ar bethe fel *masculines* a *feminines* ac *opposites* a *punctuation*. Mae hen lyfr o'r enw *First Aid to English* 'da Mami. Un glas yw e â chroes ddu ar y clawr. Fi'n dwlu gwneud pethe yn hwnna. Rhyw fis sydd i fynd tan yr 11+. Fel ro'dd Mamgu'n ddweud, 'So fe'n hir nawr, Beca fach. Stica ati a wedyn joio. Bydd yr haf i gyd o dy flaen di.'

Shwd fi'n mynd i allu joio a Llangyndeyrn dan fygythiad? Jiw! O ble daeth y gair mawr 'na? Mae'n rhaid fy mod wedi ei ddarllen yn rhywle. Wedi blino'n tswps.

Diolch i Dduw am bob peth, yn enwedig am Syr sy'n gweithio mor galed 'da ni. Nos da, Llangyndeyrn.

Dydd Iau, Chwefror 14

Dydd Sant Ffolant. Hy! Derbyn dim byd!

Dydd Sadwrn, Chwefror 16

Cyfarfod y Gymdeithas, a mynd â thun i ddala'r bisgedi Garibaldi. Aethon ni dros rife ceir Morgannwg ac Abertawe. Fe ddywedon ni nhw drosodd a throsodd fel table'r ysgol a phawb yn chwerthin pan wedodd Martin druan, 'Fi dysgu hwn mwy clou than tables Syr. Fi moyn 11+ ar car numbers'. Mae Martin yn cael trafferth 'da sawl peth.

Wedyn drefnon ni'n patrôl. Mae Buddug a fi'n mynd 'da'n gilydd, Ken 'da Martin, Richard 'da Huw, a Susan 'da fi neu Buddug bob yn ail. Nes y bydd Richard yn well, bydd Ken neu Martin yn mynd 'da Huw. Bydd pob pâr yn cwrdd ar y sgwâr, yna'n mynd draw i Heol Dŵr mor bell â Glanrynys, yn ôl at Banteg, lawr i Bentre Isa hyd at Bont Allt y Cadno ac yn ôl i'r sgwâr. Dechre ar ôl yr 11+.

Wedodd Huw bod Telynau Tâf ar y teledu ar BBC nos fory ar ôl i *Sêr y Siroedd* fod ar y radio. Dishgwl ymlaen. Cyfarfod da iawn nes i Buddug ddweud bod Llewelyn wedi cael carden Sant Ffolant. Oddi wrth bwy, tybed?

Bennon ni'r cyfarfod 'da 'Hen Wlad fy Nhadau'. Gweld pawb yn yr Ysgol Sul fory. Diolch i Dduw am bob peth heblaw'r cerdyn 'na i Lewelyn. Nos da, Llangyndeyrn.

Dydd Sul, Chwefror 17

Wedi mwynhau *Sêr y Siroedd*, ac ro'dd Telynau Tâf yn sbesial. Diolch i Dduw am bob peth. Nos da, Llangyndeyrn.

Dydd Gwener, Chwefror 22

Heb gael munud sbâr i ysgrifennu. Llwythi o waith cartref, ac wedi blino gormod ar ôl cyrraedd y gwely. Tywydd lawer yn well. Y newyddion mawr heddi oedd bod dyn o'r enw Emyr Llewelyn Jones wedi ei gyhuddo o achosi'r ffrwydrad yn Nhryweryn. Mae Tad-cu'n dweud taw ond myfyriwr ifanc yn Aberystwyth yw e, ac os byddan nhw'n ei gael yn euog bydd yn rhaid iddo fe fynd i'r carchar. Mae carchar yn lle ofnadw. Dim ond bara a dŵr maen nhw'n gael i fwyta. Fi wedi gweld carchar Abertawe o'r tu fas. Mae'n dishgwl yn hen le tywyll 'da ffenestri bach, bach. Does neb yn gallu gweld mas ohonyn nhw ac mae'r lle'n llawn o bobol ddrwg. Mae ofan y lle o'r tu fas arna i, heb sôn am orfod mynd i mewn iddo fe.

Beth wedodd Mam-gu o'dd, 'Trueni dros ei fam e, os bydd ei mab tu ôl i farie'.

'Mae tad 'da fe hefyd siŵr o fod,' o'dd ateb Tad-cu gan wincio ar Dadi.

Fi'n falch does neb o'n teulu ni'n y carchar.

Diolch i Dduw am bob peth, a plîs cadwa bawb o'n teulu ni mas o'r carchar. Nos da, Llangyndeyrn.

Dydd Sadwrn, Chwefror 23

Cynnal cyfarfod o'r Gymdeithas eto heddi. Ro'dd y bisgedi'n iawn – y tro hwn ry'n ni wedi trechu'r llygod! Trechu'r Blodyn fydd y sialens nesa. Roedden ni i gyd wedi trefnu i fynd â'n beicie i lawr er mwyn mynd dros y daith patrolio. Roedd ŵyn bach yn prancio yn y caeau, yr awyr yn las, cynffonne ŵyn bach ar y coed cnau, lili wen fach a chân ambell ji-binc. Gobaith am wanwyn arall. Ife hwn fydd gwanwyn olaf Cwm y Gwendraeth Fach, tybed?

Aethon ni lan at Lanyrynys ac aros am funud wrth gât y clos. Yna 'nôl lawr am Heol Dŵr a dweud 'helô' wrth William Thomas ar bwys y Banc. Ro'dd ei ffon a'i sigâr 'da fe, fel arfer. Mae e'n ddyn pwysig iawn ar y Cyngor, a fe yw Cadeirydd y Pwyllgor Amddiffyn. Fe enillodd Winston Churchill a'i sigâr yr Ail Ryfel Byd, felly gobeithio y bydd William Thomas a'i sigâr yn gallu gwneud yr un peth ym mrwydr Llangyndeyrn.

Aethon ni'n bwyllog a gofalus iawn drwy'r pentre i gyfeiriad Pentre Isa rhag ofan bod PC Tom ambyti'r lle. Doedd neb yn moyn iddo fe roi'i law ar ein gwar ni.

Arhoson ni am sbel ar Bont Allt y Cadno. Ro'dd

yr afon yn llifo'n gryf heddi ac yn gwneud sŵn pert. Ro'dd hi'n eitha llawn am fod yr holl eira ac iâ wedi dadleth i mewn iddi.

'Bydd y tymor pysgota'n dechre whap, ganol y mis. Yn syth ar ôl yr 11+,' medde Huw a'i lais yn hapus. 'Galla i ddala cwpwl o frithyll yn yr afon, wedyn gwneud tân ar bwys yr hen sied wair, dod â hen ffrimpan o gartre a gawn ni ginio mas ryw ddydd Sadwrn.'

Ro'dd pawb yn meddwl ei fod yn syniad gwych. Wedodd Ken y bydde fe'n dod â ffrwythe'n bwdin, a chynigiais i ddod â phice bach. Daw Buddug â thocs a menyn arnyn nhw'n barod. Bydd Susan yn dod â halen, finegr a phlatie a chynigiodd Martin ddod â chrisps.

Alwon ni 'da Richard i ddweud wrtho. Wedodd ei fam y bydde'n dod â fe draw ond i ni roi gwybod iddi pryd. Mae'n dibynnu pryd gall Huw ddala cwpwl o frithyll!

Wedyn aethon ni 'nôl i'r sied er mwyn i Buddug gael cyfle i ysgrifennu popeth i lawr. Wedodd Susan 'i bod hi'n rhwydd cadw llyged mas am geir sy ddim yn perthyn i bobol leol. Dim ond dau gar welon ni yr holl amser roedden ni mas, a'r ddau'n geir lleol. Does neb yn mynd i ddod i Langyndeyrn dim ond i weld yr ardal, neu i siopa.

'Oni bai 'u bod nhw'n dod i brynu jeli bebis sbesial o Siop Dai,' oedd ateb Ken.

Cytunodd pawb. Yn y sied wedodd Ken nad o'dd e'n hoffi'r enw 'sied'. Do'dd e ddim yn swnio'n ddigon pwysig, medde fe. Felly, benderfynon ni alw'r lle'n 'Pencadlys' o hyn ymlaen.

Diwrnod da dros ben. Diolch i Dduw am bob peth, yn enwedig am y Gymdeithas, a plîs helpa Huw i ddala pysgodyn yn fuan. Nos da, Llangyndeyrn.

Dydd Gwener, Mawrth 1

Dydd Gŵyl Dewi. Sa i'n gallu ffitio i mewn i 'ngwisg Gymreig erbyn hyn. Mae hi wedi mynd yn rhy fach i mi. Ond ro'dd Mami wedi prynu cennin Pedr i mi, a whompen o genhinen i Gruff. Ro'dd hi'n ddigon mawr i alw 'chi' arni!

Fe gafon ni wasanaeth arbennig yn yr ysgol bore 'ma. Ro'n i'n darllen adnodau o'r Beibl, a Susan yn darllen gweddi. Huw yn darllen un emyn, Ken yn darllen emyn arall, Buddug yn canu'r piano, Syr yn dweud hanes Dewi Sant a Martin yn dweud Gras ar y diwedd.

Amser 'whare, medde Martin, 'So Dewi Sant yn cael drinc o dim byd ond dŵr. Do'dd fe dim yn cael coffi, te, pop na dim byd ond dŵr, neu lla'th os o'dd buwch 'da fe.'

‘Ro’dd pawb yn yfed gwin bryd hynny. Do’dd dim coffi na phop na the i gael, dim ond dŵr,’ eglurodd Ken.

‘Fe ddim yn gallu yfed gwin ’cos o’dd e’n sant, yn dyn eglwys. Dyn fel dad fi sy’n gallu yfed cwrw a gwin, neb fel Dewi. Fe’n styc ’da dŵr. Boring!’

Mae Martin yn gomic ac mae ‘dad fi’ yn y dafarn yn go amal. Mae’n gweithio’n y ffatri la’th ac mae bola anferth ’da fe. Ro’dd Susan yn meddwl ei fod wedi stwffio clustog dan ei siwmper!

Gwersi am weddill y bore, ac i ginio ro’dd Mrs Adams wedi gwneud cawl i ni, gyda bara, caws a phice bach. Ffein.

Yn y pnawn ro’dd ’na gyngerdd a phawb yn cymryd rhan, yna mynd sha thre’n gynnar i gael rhagor o bice bach.

Aethon ni lawr i Neuadd yr Eglwys i wneud y cyngerdd. Roedden ni’n perfformio’r eitemau a ddysgon ni ar gyfer Steddfod yr Urdd. Daeth y pentre bron i gyd yno – pawb ond y rhai oedd yn gweithio dan ddaear, neu mas o Langyndeyrn, fel tad Martin. Wedodd pawb ein bod yn sbesial.

Wnaethon ni’n dda iawn yn Steddfod Llanelli y llynedd, a gafon ni ddiwrnod bant o’r ysgol fel gwobr am ein gwaith. Dyna drueni bod y steddfod yn y gogledd eleni, yn Llandudno. Mae mor bell. ’Sgwn i shwd le sy ’na?

Amser cysgu. Diolch i Dduw am steddfode, am Dewi Sant, Cyndeyrn a'r holl saint, ac am bob peth. Nos da, Llangyndeyrn.

Dydd Sadwrn, Mawrth 2

Aethon ni ddim i'r Pencadlys heddi am fod yr *hunt* yn y pentre. Fel arfer mae'r *hunt* ym mis Chwefror ac wedyn ym mis Tachwedd, ond eleni mae e ychydig yn fwy diweddar oherwydd yr eira. Ni wrth ein bodde'n mynd lawr i'r sgwâr a sefyll o flaen y neuadd i weld yr *hunt* yn dod at ei gilydd. Mae pawb yn y pentre'n dod mas i weld y cŵn a'r ceffyle. Mae Dadi'n mynd ac mae'n dishgwl yn smart dros ben. Mae'r cŵn a'r ceffyle'n edrych yn llawn cyffro. Maen nhw'n gwybod yn iawn beth sy 'mlaen ac yn aros am sŵn y corn. Fi'n dwlu ar sŵn y corn.

Maen nhw'n mynd dwy'r pentre i fyny at Dŷ'r Stiwart ac wedyn ymlaen at Tŷ Gwyn ac yna Croesasgwrn. Ni'n gallu clywed y corn yn canu bob hyn a hyn drwy'r dydd.

Ar ôl iddyn nhw orffen maen nhw'n galw yn y Smith's am un bach i ddathlu'r diwrnod – ac os y'n nhw wedi cael brwsh, neu falle ddau, mae mwy nag un bach!

Fi'n joio gweld yr *hunt*, teimlo'r cyffro a chlywed y corn, ond sa i'n siŵr iawn shwd fi'n teimlo ambyti lladd y cadno. Ydyn, maen nhw'n niwsans yn lladd ŵyn bach, ond greddf yw e yn ôl Tad-cu. Er hynny, mae'n rhaid cael gwared arnyn nhw oherwydd maen nhw'n greulon iawn wrth yr ŵyn ac mae'n costu'n ddrud i'r ffermwr.

Un brwsh gafon nhw heddi. Roedden nhw'n blês. Ond wedyn, mae un teulu bach yn ei ffau heb ddadi neu fami.

Mynd i feddwl am bethe neis. Plîs, Duw, helpa ni i gael ffordd well o ddifa cadnoid. Diolch i Dduw am bob peth. Nos da, Llangyndeyrn.

Dydd Sul, Mawrth 3

Heddi yw'r Sul cyntaf yn y Grawys. Fi wedi penderfynu peidio yfed pop dros gyfnod y Grawys. So Buddug yn deall, achos so'r Baptists yn cael Grawys. Do'dd dim blode yn yr eglwys heddi. Ro'dd hi'n dishgwl yn foel yno ond, Duw, ti'n gwybod pam. Diolch i Dduw am bob peth. Nos da, Llangyndeyrn.

Dydd Mercher, Mawrth 6

Dyna sbri! Ar ôl te heddi, cyn dechre godro, fe wedodd Tad-cu, 'Dere 'mlaen groten, mae'n amser i ti ddechre gyrru'r hen fan fach.'

Am funud ro'n i'n ishte a 'ngheg ar agor fel pysgodyn ar dir sych, wedyn neidies i lan a gweiddi, 'Ie, ie, ie!'

'Dere 'te Beca fach a chofia, dim gyrru fel Jehu drwy'r anialwch.'

Wnes i'm gofyn pwy o'dd Jehu, ro'n i'n rhy egseited. Es i newid yn glou a rhuthro mas i'r clos. Ro'dd Tad-cu'n ishte'n y fan yn aros amdana i. Ond ro'dd e yn sêt y gyrrwr.

'Hei, fi sy fod i yrru.'

'Dim ar y clos. Mae 'da fi ormod o barch at y ffowls. Sa i'n moyn ffowlyn i ginio bob dydd am wythnos! Aros i ni gyrraedd y cae pella. Wnei di ddim drwg i neb na dim man 'na.'

Ro'dd Dadi, Mami a Gruff mas ar y clos a gwên fawr ar eu hwynebau.

Sbri, wedes i? Ro'dd e'n fwy na sbri! Ar ôl neidio 'mlaen fel cangarŵ gwallgo am ache, fe shifftes i ddechre'n deidi a gyrru'n igam ogam i ben draw'r cae. Wedodd Tad-cu bod dim ishe i fi wneud dim â'r gêr. Diolch byth!

Sa i wedi clywed Tad-cu'n chwerthin shwd gwmint erio'd. Bydde fe wedi popan botwm ei wasgod tawn i'n newid gêr hefyd!

'Nos fory 'to,' wedodd e. 'Dim ond hanner awr fach ar ôl te cyn dechre ar y gwaith cartre.'

Pan ddes i 'nôl i'r tŷ, wedes i wrth Mami'n seriws reit, 'Mae Tad-cu'n mynd i brynu car i mi os basia i'r 11+'.

Dishgwylodd Mami'n hurt arna i am funud.

'Ca' dy gelwydd, groten. Mae dy ddad-cu'n ddyn call. Ond wedyn, pan gyll y call fe gyll ymhell.'

Bydd fy ffrindie'n pallu credu fy mod i'n dechre gyrru. Fydda i ddim yn cael mynd ar yr heol am chwe blynedd. Trueni.

Diolch i Dduw am bob peth, yn enwedig dyddie da fel heddi. Nos da, Llangyndeyrn.

Dydd Sadwrn, Mawrth 9

Cyfarfod o'r Gymdeithas heddi. Fuon ni ddim yn hir, achos ry'n ni i gyd ar bige'r drain. Mae'r 11+ yn dechre ddydd Mercher. Ych! Fi'n teimlo'n sic.

Benderfynon ni ein bod yn mynd i drefnu sêl lyfre gan fod y menywod i gyd yn dechre sôn am gael *spring clean*. Mami wedi mynd dros *decimals* a *fractions* 'da fi heno. Fi lot yn well, diolch byth.

Fe ges i'n *long division* yn iawn hefyd. Pob un. Gwyrth! Sa i'n deall pam fi'n gorfod gwneud *long division*. Sa i byth yn mynd i'w gwneud nhw tu fas i wersi ysgol.

Wedi dechre darllen *Anne of Green Gables* heno. Fi'n dwlu arno fe. Rhaid cofio dweud wrth Buddug amdano gan fod ei gwallt hi'n goch fel un Anne.

Diolch i Dduw am lyfre da, ac am bob peth. Duw, ddarllenes i jôc pwy ddwrnod. Crwt bach yn dweud wrthot ti, 'God, I've read parts of your book, *The Bible*. It was very good. Have you written any more?' Nos da, Llangyndeyrn.

Dydd Sul, Mawrth 10

Wedi gweddïo'n galed heddi. Pan wedodd y Ficer am bawb oedd yn dioddef ac yn y blaen, yn y tawelwch fe weddïais i am help i bawb sy'n sefyll yr 11+ ac am bawb yng Nghapel Celyn. Fi'n hoffi mynd lan y gangell gyda Mami a Mam-gu a sefyll wrth y rheilen pan maen nhw'n cael cymundeb. Mae'r Ficer yn fy mendithio drwy ddodi'i law ar fy mhen i.

Ro'dd gwasanaeth heddi'n well nag arfer, achos ro'dd Llewelyn yn *server*. Ro'dd e'n dishgwl yn smart yn ei gasog coch a'i wenwisg.

Petai Llewelyn a fi'n priodi fe fydden ni'n penlinio 'da'n gilydd wrth y rheilen yna o flaen yr allor. Diolch i Dduw am bob peth – heblaw'r 11+. Nos da, Llangyndeyrn.

Dydd Mercher, Mawrth 13

Am ddyddiad i gael yr 11+! O leia dyw hi ddim yn ddydd Gwener hefyd. Ges i wisgo fy ffrog ore i fynd i'r ysgol heddi – i drio dod â gwên i fy wyneb, wedodd Mami.

Daeth Mam-gu lan cyn i mi fynd i'r ysgol a rhoi pisyn tair arian lwcus i fi. Es i ag e 'da fi yn fy nghas pensilie.

Do'dd hi ddim yn hawdd bwyta brecwast. Ro'dd 'na hen lwmp yn fy stumog i. Rhag i mi orfod mynd i'r ysgol ar stumog wag, fe gurodd Mami wy 'da siwgr mewn glasied o la'th i mi. Ro'dd e'n ffein.

Ro'dd Tad-cu'n dweud does neb yn gorfod sefyll yr 11+ yn Sir Fôn. Os felly, byddwn i'n dwlu cael byw yn Sir Fôn. Ond wedyn, so Llangyndeyrn yno.

Beth bynnag, do'dd heddi ddim yn rhy ffôl. Ro'n i'n gallu ateb popeth – dim ond gobeithio bod yr atebion yn gywir. Ro'dd dyn o ryw ysgol arall yn gwneud yn siŵr nad oedden ni'n copïo a bod Syr a

Miss ddim yn rhoi help i ni. Rhagor fory, a wedyn bennu. Diolch byth.

Ges i de dydd Sul ar ôl dod sha thre heddi – sgons, tarten fale, *sponge*, jeli, *peaches* tun a hufen. Mae digon ar ôl at fory.

Wedi sylwi bod dant y llew yn y cloddie hefyd. Llygad y dydd fydd nesa.

Diolch i Dduw, so heddi wedi bod yn rhy ffôl. Diolch am bob peth. Nos da, Llangyndeyrn.

Dydd Iau, Mawrth 14

Mae'r 11+ drosodd. Hwrê! Roedden ni i gyd yn dawnsio a chanu wrth ddod o'r ysgol, a Syr a Miss yn gwenu.

Trefnu cyfarfod o'r Gymdeithas ddydd Sadwrn. Te dydd Sul eto heddi a Mam-gu'n dweud wrtha i am gadw'r pisyn tair yn saff. Bydd yn dod â lwc i mi am byth, medde hi. Swper sbesial hefyd – pastai ffowlyn a chennin, gyda tsips. Roli Poli jam coch a chwstard i bwdin! Ffein! Sa i'n gwybod pam fi ddim yn dew.

Diolch i Dduw am fwyd ffein Mami, a thrueni dros blant bach yn China sy ddim yn cael digon. Diolch i Dduw am bob peth arall hefyd. Nos da, Llangyndeyrn.

Dydd Gwener, Mawrth 15

Diwrnod ofnadw. Ro'n i mor hapus ddoe ond heddi mae popeth ar chwâl.

Yn y *Journal* heddi ro'dd e'n dweud bod Corfforaeth Abertawe wedi cael pwyllgor ar Chwefror 21 a'u bod nhw o ddifri nawr yn meddwl am foddi'n cwm ni. Bydd rhyw ddynion yn dod i Langyndeyrn i ddishgwl ar y ffermydd a'r tir i baratoi cynllun i'w boddi.

Bydd Allt y Cadno'n mynd, Y Wern, Limestone, Pant-teg, Ynys Faes, Torcoed Isa, Glanyrynys, Llandre – O! ro'dd Tad-cu'n grac.

'Nhw a'u Sgîm B! So fe'n ddim iddyn nhw ond rhyw sgîm. So nhw'n sylweddoli bydd bywoliaeth pobol yn mynd. Difa bywoliaeth dynion man hyn er mwyn rhoi bywoliaeth i ddynion Abertawe. Dim sens. Dim sens.'

Dyna o'dd e'n weud drosodd a throsodd drwy'r amser. So nhw'n sylweddoli y bydd popeth yn diflannu, yn cynnwys yr ysgol. Na, fydd hi ddim yn mynd dan y dŵr ond fydd 'na ddim digon o blant yn byw yma i'w chadw ar agor ac mae ysgol wedi bod yn y pentre ers cyn 1846. Fydd yr eglwys ddim yn mynd, ond fydd neb yma i fynd iddi ac mae eglwys wedi bod yn y pentre ers y chweched ganrif.

Fydd Bethel ddim yn mynd, ond bydd y fynwent yn diflannu, a bydd afon y Gwendraeth Fach, lle maen nhw'n bedyddio, yn troi'n llyn a bydd pont Allt y Cadno'n mynd gyda'r llif. Fydd yna ddim Cymanfa Bwnc yn Salem. Dim trip Ysgol Sul. Dim dramâu na chyngherdde yn y neuadd. Dim gyrfaoedd chwist. Dim *hunt*. Dim dawnsfeydd. Dim cloncan yn y Post a Siop Dai. Dim cwrdd yn y Smith's a'r Farmers. Dim pobol ifanc yn cerdded i bont Allt y Cadno i gael *chat*. Dim hel calennig. Bydd yr holl bethe hyn yn diflannu.

Fi'n sgrifennu hwn a llefen yr un pryd. Bob hyn a hyn heno, tra o'dd Dadi'n godro, ro'dd y ffôn yn canu a 'Nid Seithennyn', oedd y geirie cynta. Ni'n cwrdd fory.

Buodd Dadi ar y ffôn am oesoedd ar ôl dod i mewn i'r tŷ. Mae pawb yn becso'n dwll.

Fi'n newid fy mhader heno. Plîs, Duw, helpa ni. Nid Sgîm B y'n ni, ond Cwm y Gwendraeth Fach. Duw, fi'n ffaelu dweud diolch heno. Gobeithio bod ti'n deall. Nos da, Llangyndeyrn.

Dydd Sadwrn, Mawrth 16

Daeth pawb i'r cyfarfod yn y Pencadlys, hyd yn oed Richard ar ei ffyn bagle, ac ro'dd pawb mor drist â'i gilydd.

Do'dd y ffaith bod y Garibaldis yn stêl a'r pop Tovali yn fflat ddim yn help chwaith. Dim ots i fi, achos sa i'n yfed pop yn ystod y Grawys.

Y penderfyniad oedd bod yn rhaid i ni fod yn fwy gwyliadwrus fyth o hyn ymlaen. Wrth lwc, mae'r dydd yn ymestyn ac mae'n olau hyd wyth o'r gloch bron – byddwn yn troi'r clocie 'mlaen ar ddiwedd y mis.

Byddwn yn dechre ar ein patrôl o heddi 'mlaen. Wedi trefnu i gynnal ein jymbl sêl llyfre ymhen mis. Mae'n rhoi digon o amser i ni wneud posteri a mynd o gwmpas y tai i gasglu llyfre. Mae Martin am wneud y posteri, achos mae'n gwneud llunie da a phrintio'n deidi. Ken a Richard sy'n gwneud tocynne, a Huw'n mynd â phosteri i wahanol lefydd a gofyn am fenthyg y neuadd. Mae Susan, Buddug a fi'n mynd i werthu tocynne a gofyn i bobol oes llyfre neu gylchgrone neu unrhyw beth i'w werthu 'da nhw. Swllt yr un i oedolion i fynd i mewn a chwe cheiniog i blant a phensiynwyr. Bydd Ken a

Huw wrth y drws. Y dyddiad fydd dydd Sadwrn, Ebrill 13.

Dywedodd Richard bod yn rhaid cael rhywun i agor y sêl yn swyddogol, ac fe benderfynon ni ofyn i Syr. Yn ôl Richard, mae'r un sy'n agor unrhyw sêl fel arfer yn rhoi arian at yr achos. Bydd yr elw'n mynd i'r Gronfa Amddiffyn.

Bydd y tocynne a'r posteri'n barod erbyn Sadwrn nesa. Mae'n dda gallu gwneud rhywbeth i helpu, yn lle jyst becso.

Ar ôl y cyfarfod aethon ni ar patrôl ar ein beicie am ychydig. Aeth rhai i fyny am Lanyrynys, rhai draw at Banteg a rhai draw am Allt y Cadno. Welon ni neb ond pobol roedden ni'n adnabod.

Ro'dd hi'n bert iawn ym mhobman heddi, gydag ochre'r hewlydd yn llawn cennin Pedr, dant y llew, briallu a seren y gwanwyn. Y byd i gyd yn felyn heblaw am y lili wen fach a'r drain gwynion. Mae'r drain gwynion yn drwch eleni, fel lês ar y brigau. Sylwi bod ambell aderyn du a robin goch fel petaen nhw'n rhyw ddechre paratoi i wneud nythod. Wrth gwrs, mae'r ddau yna'n nythu o flaen yr adar eraill. Llynedd ro'dd robin wedi nythu ym mhoced hen got i Dad-cu yn y tŷ cwlyr. Ro'n i'n dwlu gweld yr wye bach gwyn a'r sbotie coch arnyn nhw. Mae'r got yno o hyd. Falle y dôn nhw'n ôl eleni. Gobeithio.

Diolch i Dduw am fyd natur, am brydferthwch Llangyndeyrn, ac am bob peth arall. Nos da, Llangyndeyrn.

Dydd Llun, Mawrth 18

Mae William Thomas a'r Parch W. M. Rees wedi galw'r Pwyllgor Amddiffyn i gwrdd yn y neuadd nos Iau, sef Mawrth 21.

Mae Dadi'n dweud bod yn rhaid symud yn glou. Fi wedi dweud wrth Mami a Mam-gu am ein sêl lyfre i godi arian i'r Pwyllgor Amddiffyn ac ro'dd y ddwy'n meddwl ei fod yn syniad ardderchog. Mae'r ddwy'n mynd i chwilio am bethe i'w gwerthu.

Plîs, o Dduw, helpa William Thomas a'r Parch W. M. Rees, a diolch am bob peth. Nos da, Llangyndeyrn.

Dydd Mercher, Mawrth 20

Buodd Buddug a fi ar patrôl heno ar ôl i fi gael fy ngwers yrru gan Tad-cu. Fi'n dod yn sbesial nawr.

‘Wedi dy eni tu ôl i olwyn lywio,’ wedodd e. Meddyliwch!

Gafodd Buddug a fi ofan, mewn un man, jyst ochor draw i Lanyrynys. Daeth car dieithr heibio a doedden ni ddim yn nabod y boi oedd yn gyrru. Do’dd y car ddim yn un o Abertawe na Morgannwg chwaith, ac ro’dd e’n dishgwl yn newydd.

Aethon ni’n syth lawr i’r siop at Mrs Smith. Wedon ni wrthi sut gar o’dd e a bod y dyn yn weddol ifanc, ei wallt yn ddu a’i fod yn smoco.

‘Diolch i chi am ddod i weud, ferched ond,’ dododd ei bys ar ei gwefusau, ‘sboner newydd un o ferched Tŷ Nant yw e. Mae e wedi bod yma’n prynu petrol unwaith. Un o bant. Sais.’

Gafon ni bob o baced o crisps ganddi. Fi’n dwlu ar grisps, ond does byth ddigon o halen yn yr hen sgriws bach glas ’na. Pan fi gartre fi’n rhoi rhagor o halen arnyn nhw a dropyn neu ddau o finegr. Dyna od na fydden nhw’n gallu rhoi halen a finegr arnyn nhw, rhyw fodd neu’i gilydd, wrth eu gwneud nhw.

Wedi gorffen darllen *Anne of Green Gables*. *Anne of Avonlea* nesa. Fi’n hoffi’r ffordd mae hi’n dweud, ‘*Anne with an “e”*’. Fi’n mynd i ddechre dweud, ‘Beca ’da un “c” os gwelwch yn dda’.

Fi’n dwlu ar y llyfre, ond eto sa i’n siŵr nad *The Children of the New Forest* yw fy ffefryn go iawn i. Fi’n credu bod Edward yn well na Llewelyn, hyd yn oed!

Help, plîs, O! Dduw. Helpa'r pwyllgor nos fory a diolch am bob peth. Nos da, Llangyndeyrn.

Dydd Iau, Mawrth 21

Diwrnod pwysig dros ben.

Ro'n i'n teimlo bod y pentre i gyd yn dawel heddi, hyd yn oed yr anifeiliaid. Fel petaen nhw'n gwybod bod rhywbeth yn bod. Ni wedi gofyn i Syr agor ein sêl lyfre ni, ac mae e wedi bodloni. Mae Syr yn O.K. Wedodd e y bydde'n bleser cael gwneud.

Amser cinio wedodd Buddug ei bod hi'n moyn cyfarfod, felly penderfynon ni fynd i'r Pencadlys ar y ffordd sha thre. Ni'n mynd i'r ysgol ar ein beicie nawr pan mae'r tywydd yn ffein.

Yn y Pencadlys, wedodd Buddug y dylen ni gael gweddi dros y Pwyllgor Amddiffyn oedd yn cwrdd yn y neuadd. Ro'dd pawb yn cytuno, a gofynnon ni i Buddug ddweud gweddi fach am ei bod wedi clywed y Parch W. M. Rees yn gweddïo sawl gwaith.

Mae Mam-gu wastad yn dweud bod pobol capel yn gweddïo'n well na phobol eglwys. Gweddïe o lyfr sy 'da'r eglwys, yn ôl Mam-gu, ac mae gweddi pawb 'run peth.

Ro'n i'n moyn chwerthin pan ddechreuodd Buddug, achos gwnaeth hi rhyw lais gwahanol fel petai hi'n bregethwr go iawn.

'O! Dduw, helpa'r pwyllgor i feddwl yn strêt a gwneud y penderfyniad iawn er mwyn achub y cwm. Gofynnwn hyn yn haeddiant Dy unig fab, Iesu Grist. Amen.'

Wedyn aethon ni sha thre ar ôl canu 'Hen Wlad Fy Nhadau'. Weles i 'run car heddi.

Bues i'n helpu 'da'r ffowls a'r ŵyn heno er mwyn i Mami gael helpu Dadi a Tad-cu iddyn nhw gael mynd i'r pwyllgor. Am mod i wedi helpu, ges i aros lan nes daeth Dadi'n ôl. Ro'dd Mami'n stilo a fi'n ei helpu i blygu pethe. Ges i stilo'r macynne poced. Fi'n dwlu eu dala lan ar fy wyneb ar ôl eu stilo. Maen nhw'n dwym neis a gwynt ffein arnyn nhw. Gwynt tu fas.

Daeth Dadi'n ôl marce naw, ac er ei fod wedi cael swper cyn mynd, ro'dd e'n starfo. Gafodd e frechdan bacwn a ges i chwarter un a sôs coch arni – yr un ffeina fi wedi gael erio'd. Ro'dd pawb yno, wedodd e, a nifer ohonyn nhw wedi siarad yn gryf. Maen nhw wedi penderfynu galw cyfarfod cyhoeddus yn neuadd Llangyndeyrn ar Ebrill 2. Maen nhw wedi dewis siaradwyr, a gan bod angen rhagor o arian arnyn nhw – nawr bod pethe'n dechre go iawn – maen nhw wedi penodi David Smith, Siop Dai, yn ysgrifennydd ariannol.

Mae David Smith yn gwneud popeth. Mae'n torri bedde, glanhau'r eglwys, gweithio yn ei siop a nawr mae e'n drysorydd. Yr un jobyn â Ken. Wedodd Dadi taw ato fe ni fod i fynd ag arian y sêl lyfre.

Diolch i Dduw am bob help, am bobol fel David Smith ac am bob peth. Nos da, Llangyndeyrn. Mae pawb yn gwneud eu gore glas i dy achub di.

Dydd Sadwrn, Mawrth 23

Diwrnod da heddi. Pan gwrddon ni yn y Pencadlys ro'dd y tocynne a'r posteri'n barod.

SÊL LYFRAU

Dydd Sadwrn
Ebrill 13 am 2.00

Cadeirydd: Mr D. A. Jones

Tâl Mynediad:

Oedolion 1/-   Pensiynwyr 6c   Plant 6c

Elw at y Pwyllgor Amddiffyn

Roedden ni i gyd yn blês iawn. Ro'dd y posteri'n sbesial hefyd.

SÊL LYFRAU
FAWREDDOG

Llyfrau, Cylchgronau, Comics,
Bargeinion di-rif

Neuadd Llangyndeyrn

Dydd Sadwrn
Ebrill 13 am 2.00

Cadeirydd:
Mr D. A. Jones

Tâl Mynediad:
Oedolion 1/-
Pensiynwyr 6c Plant 6c

Elw at y Pwyllgor Amddiffyn

Saith deg o docynne i'w gwerthu. Penderfynon ni dorri cornel pob un tocyn ro'n ni'n ei werthu ar gyfer plentyn a phensiynwr.

Aeth Huw â'r posteri o gwmpas ar ôl cinio ac aethon ni'n tair o ddrws i ddrws i ofyn am stwff, gan ddweud ein bod am ei gasglu'r Sadwrn canlynol, a thrio gwerthu tocynne.

Erbyn diwedd y pnawn ro'dd hanner cant o docynne wedi'u gwerthu a doedden ni ddim wedi dechre ar y ffermydd. Bydd yn rhaid gwneud rhagor.

Mae Huw am ofyn caniatâd i gadw'r stwff yn yr *ante-room*. Y noson cyn y sêl byddwn ni'n mynd yno i'w prisio a'u gosod allan.

Aeth rhai o'r bechgyn ar patrôl tra o'dd Susan, Buddug a fi o gwmpas y tai yn y pentre. Ro'dd pawb yn groesawgar ac yn falch o weld ein bod yn mynd i helpu.

Gofynnodd Mrs Jones, Tŷ Pen, oedden ni'n gwerthu hen ornaments achos bod gormod 'da hi. Wedon ni y bydden ni'n dwlu cael ornaments i werthu. Erbyn diwedd y pnawn ro'dd sawl un wedi addo ornaments hefyd, a rhai am roi tunie bwyd i ni. Pethe fel tuniau o *pilchards* a *macaroni cheese*. Roedden ni'n fodlon derbyn unrhyw beth. Gallwn ni wneud sawl stondin.

Cyfarfod yn ôl yn y Pencadlys wedyn a phawb yn egseited. Ro'dd mam-gu Huw wedi cynnig gwobr raffl i ni. Doedden ni ddim wedi meddwl am raffl, felly benderfynon ni i gyd ofyn i'n mam-gus am wobr raffl. Ni'n gwneud rhywbeth i achub y cwm – dyna sy'n bwysig. Mae Cymdeithas Cyndeyrn yn gweithredu. Jiw, dyna air mawr!

Addawodd Mam-gu roi bocs o facynne pert i'w rafflo ac mae Tad-cu wedi addo mynd â Susan, Buddug a fi o gwmpas y ffermydd ar ôl Ysgol Sul fory i werthu tocynne.

Ffoniodd Buddug heno i ddweud bod ei mam-gu'n mynd i roi sach o dato yn wobr. Gwych!

Diolch, Dduw, am bob help – a diolch am garedigrwydd pobol Llangyndeyrn. Nos da, Llangyndeyrn.

Dydd Sul, Mawrth 24

Buddug, Susan a fi wedi bod o gwmpas y ffermydd 'da Dad-cu. Ro'dd pawb yn falch o'n gweld ni a phawb yn prynu tocyn 'at yr achos'.

Gafon ni addewidion hefyd, ac mae Tad-cu wedi addo mynd â ni o gwmpas i'w casglu ddydd Sul nesa. Yr un cwestiwn oedd gan bawb, 'Pam?'

Mae'r tir ffermio mor dda ffordd hyn, a'r da'n cynhyrchu shwd gymaint o la'th. Aethon ni lawr cyn belled â Chwmisfael, a wedodd un hen foi wrthon ni – ro'dd Tad-cu'n gwybod pwy oedd e – ei fod yn mynd lan i Landudno bob blwyddyn ar ei wylie a'i fod e'n gweld shwd gymaint o gymoedd diffeth ar y ffordd lan, heb na thŷ na thwlc arnyn nhw. Pam boddi cwm ffrwythlon a gadael y shwd lefydd i fod?

Bydd rhyw saith cartre'n cael eu boddi yng Nghwmisfael. Plîs, Duw, gwna i Abertawe weld sens a diolch am bob peth. Nos da, Llangyndeyrn.

Dydd Iau, Mawrth 28

Gafodd Dadi gopi o'r *Cymro* heddi. Ro'dd llun o Langyndeyrn ynddo – y Vicarage, y neuadd, sied y Llandre a llun teulu Ynysfaes. Ro'dd yr hanes yn dda. Ddarllenes i fe. Bydd Cymru i gyd yn gwybod am Langyndeyrn nawr.

Diolch i Dduw am *Y Cymro* ac am bob peth. Nos da, Llangyndeyrn.

Dydd Sadwrn, Mawrth 30

Neb wedi gweld dim byd anghyffredin ar eu patrôl.

Aethon ni o gwmpas y pentre i ddechre casglu stwff. Jiw! Ro'dd llond gwlad o bethe, a bu raid i ni gael benthyg whilber i'w gario.

Ro'dd Huw wedi cael benthyg allwedd y neuadd, ac aethon ni â'r pethe i gornel bella'r *ante-room*. Ro'dd hi'n anodd eu gadael nhw yno achos weles i sawl llyfr hoffwn i ddarllen, ac ro'dd Martin â'i drwyn yn y comics. Ro'dd rhai ornaments pert yno, ac ro'dd Buddug wedi ffansïo un i roi i'w mam-gu ar ei phen-blwydd. Ffansïes i gwningen fach degan binc. Bydd yn rhaid i ni ddodi 'reserved' arnyn nhw a thalu amdanyn nhw'n nes ymlaen.

Gan bod dim byd yn galw yn y pnawn fe ddechreuon ni brisio pethe. Aethon ni i lawr i'r siop i ofyn cyngor Mrs Smith gyda rhai pethe.

Ro'dd Dadi'n dweud heno bod rhyw ddyn sha Llunden yn mynd i gau'r rêlwês. Rhywun o'r enw Dr Beeching. Bydd yn cau'r rhan fwya yng Ngorllewin Cymru. Falle byddan nhw'n boddi'r gorllewin i gyd a bydd pawb yn gorfod teithio mewn bade!

Shwd bydd y dyn bach o Gwmisfael yn mynd i Landudno wedyn?! Erbyn meddwl, sa i erio'd wedi bod ar drên. Sdim stesion yn Llangyndeyrn, hyd yn oed.

Cafodd Emyr Llewelyn Jones, y myfyriwr ifanc o Aberystwyth, ei anfon i'r carchar am flwyddyn yn y llys yng Nghaerfyrddin ddoe. Wrthododd e ddweud pwy oedd wedi ei helpu i ffrwydro'r trosglwyddydd. Dim ond tri pheth cas sy ar fy meddwl – y boddi, carcharu Emyr Llewelyn Jones a chanlyniade'r 11+.

Troi'r clocie heno, felly awr yn llai yn y gwely. Ife bara a dŵr maen nhw'n gael yn y carchar? Diolch, Dduw, am bob help, a plîs bydd 'da Emyr Llewelyn Jones druan yn y carchar yn yr Amwythig. Nos da, Llangyndeyrn.

Dydd Sul, Mawrth 31

Wedi bod 'da Tad-cu yn casglu stwff o'r ffermydd. Gafon ni lond côl o stwff a sawl patrwm gwau. Bydd Mam-gu'n siŵr o'u prynu os nad ydyn nhw 'da hi'n barod.

Tad-cu'n dweud bod Lady Megan Lloyd George a rhyw ddau ddyn pwysig, sa i'n cofio'u henwe, yn dod i weld safle'r gronfa fory. Un fenyw'n dweud y bydd Lady Megan yn siŵr o wisgo cot ffyr a hat.

Mae hi'n fenyw bwysig – yn M.P. – a buodd ei thad yn Breim Minister flynydde lawer yn ôl. Gobeithio ei bod hi'n ddigon pwysig i allu gwneud rhywbeth i'n helpu.

Plîs, Duw, gwna i Lady Megan a'r dynion pwysig gydymdeimlo 'da ni. Diolch Dduw am bob peth. Nos da, Llangyndeyrn.

Dydd Llun, Ebrill 1

Wedi cael lot o hwyl wrth wneud Ffŵl Ebrill heddi. Wnaethon ni Ffŵl Ebrill ar Syr, Miss a Mrs Adams. Sa i'n credu bod nhw'n gwneud Ffŵl Ebrill yn yr ysgol fawr.

Diolch, Dduw, am allu chwerthin. Nos da, Llangyndeyrn.

Dydd Mawrth, Ebrill 2

Heno, ro'dd y cyfarfod cyhoeddus yn y neuadd. Aeth Dadi a Tad-cu yno a daeth Mam-gu lan aton ni. Ro'dd pawb yn teimlo'n anghysurus, fel petai rhywbeth ar fin digwydd. Sa i'n gwybod sawl dishgled o de yfodd Mami a Mam-gu yn ystod y nos.

Pan ddaeth Dadi a Tad-cu'n ôl ro'dd 'na hen holi. Ro'dd y neuadd yn orlawn a dwedodd rhywun bod manne gwell a tsepach i gael na Chwm Gwendraeth. Fe basiwyd bod sgîm Abertawe yn cael ei wrthod. Bydd Abertawe a'r Pwyllgor Amddiffyn yn cwrdd whap a wedyn bydd 'na le.

Dywedodd William Thomas y bydd Prydain i gyd yn gwybod am Langyndeyrn mewn pythefnos. Mae'n anodd credu'r fath beth.

Yr unig beth gwael ddigwyddodd heddi oedd bod Gruff yn teimlo mas o bethe oherwydd so fe'n gallu dod i'r Gymdeithas. Mae Mami'n meddwl y dyle fe gael rhywbeth i wneud yn y sêl lyfre. Fi wedi addo meddwl, ond fi'n ffaelu meddwl beth. Blincin brodyr bach.

Diolch i Dduw bod y cyfarfod cyhoeddus wedi mynd yn iawn. Beth alla i wneud 'da Gruff? Unrhyw syniad, Dduw? Beth bynnag, mae'r frwydr ymlaen. Nos da, Llangyndeyrn.

Dydd Gwener, Ebrill 5

Es i a Gruffydd i gyfarfod Mami a Mam-gu yn y fynwent ar ôl yr ysgol. Mae hi'n Sul y Blode ddydd Sul, ac mae'n rhaid glanhau cerrig bedde'r teulu a rhoi blode arnyn nhw. Ro'dd dipyn o bobol yn y fynwent a gafon ni i gyd gwd *chat* am y boddi, a hel clecs. Ond fory y bydd y rhan fwya'n dod. Fi'n hoffi Sul y Blode achos bod y fynwent yn dishgwl yn bert.

Diolch i Dduw am Sul y Blode. Ond trueni fod Iesu wedi gorfod diodde ar ôl hynny. Nos da, Llangyndeyrn.

Dydd Sadwrn, Ebrill 6

Es i â Gruffydd i lawr i'r neuadd 'da fi heddi. Fe yw mascot y Gymdeithas. Mae hynny'n gwneud iddo deimlo'n bwysig.

Gafodd e helpu i sorto'r holl stwff, gan roi'r comics a'r cylchgrone i gyd 'da'i gilydd. Ro'dd e wrthi'n eitha teidi chware teg, ac yn meddwl ei fod e'n grwt mawr.

Mae saith gwobr raffl wedi'u haddo nawr, a thwr o ornaments a thunie. Fi'n gobeithio y byddwn ni'n gwneud arian bach teidi ar gyfer y gronfa.

Un syrpreis neis gafon ni oedd bod Alice wedi addo doli i ni'n wobr am ddyfalu ei henw. Os fi'n nabod Alice, mae hi'n bownd o fod yn ddoli bert. Bydd pobol yn talu chwe cheiniog am ddyfalu enw'r ddol. Alice sy'n penderfynu ei henw ac fe fydd wedi ei selio mewn amlen o flaen llaw. Alice fydd yn cadw'r amlen a Syr fydd yn ei hagor yn ystod y pnawn.

Mae pethe'n mynd yn dda. Dim ond wythnos i fynd. Mae'r pentre i gyd yn sôn am ein sêl ac ro'dd rhai'n dweud bod pobol o Landdarog, Cwm Isfael a Phorth-y-rhyd yn mynd i ddod i'n cefnogi ni. Gobeithio bod digon o stwff 'da ni i werthu.

Pan es i sha thre, wedodd Mam-gu bod rhai o fenywod y pentre'n mynd i baratoi dishgled o de a bisgïen. Maen nhw'n rhoi'r te, y llaeth, y siwgr a'r bisgedi'n rhad ac am ddim ac wedyn yn codi pris o hanner coron. Mae pob aelod o'r Gymdeithas yn dishgwl ymlaen ac yn teimlo'n eitha pwysig.

Mae rhyw reol yn yr eglwys yn dweud so ni fod i drefnu unrhyw ddathliade yn ystod y Grawys, ond mae pawb yn cytuno bod hwn yn rhywbeth gwahanol.

Sul y Blode fory. Fi'n dishgwl 'mlaen at weld yr eglwys ar y Pasg. Bydd hi'n bert yn llawn blode, ar ôl bod yn foel yn ystod y Grawys.

Diolch, Dduw, am bobol Llangyndeyrn, am y blode i gyd ac am bob peth. Nos da, Llangyndeyrn.

Dydd Llun, Ebrill 8

Ro'dd cyfarfod o'r Pwyllgor Amddiffyn eto heno. Mae pethe'n twymo. Un peth pwysig, ond yn hala ofan ar bawb, oedd bod rhyw fois o Abertawe wedi galw yn Allt y Cadno pan oedd Eurwyn Davies mas, gan ddweud y bydden nhw'n dod yn ôl ddydd Mawrth.

Ro'dd William Thomas, Glanyrynys, y cadeirydd a Dewi, ei fab, wedi gweld dynion dieithr yn cerdded eu tir nhw hefyd. O Lunden, medden nhw.

A wedodd Tad-cu, 'Beth yffach mae dynion o Lunden yn moyn ffordd hyn?'

Fe benderfynon nhw yn y pwyllgor bod angen pob help ar Eurwyn, Allt y Cadno, a bod yn rhaid i bawb o'dd yn mynd i gerdded y tir roi pedair awr ar hugain o rybudd. Cynigiodd y Ficer, Alun Williams, fod rhai o'r pwyllgor yn mynd lan i Allt y Cadno i fod yn gefn i Eurwyn Davies. Cytunodd pawb.

Maen nhw'n mynd yno erbyn un ar ddeg ddydd Mawrth. Gan ei bod yn wylie, fyddwn ni ddim yn yr ysgol. Yn ôl Dadi, ro'dd hwn yn gyfarfod pwysig iawn. Sa i'n cofio'n iawn popeth wedodd e a Tad-cu, ond maen nhw'n mynd rownd sha thri deg o ffermydd i wneud yn siŵr eu bod nhw'n dal i sefyll yn gadarn, ac maen nhw'n mynd i anfon llythyre at lond gwlad o bobol bwysig – yn cynnwys y Preim Minister.

Ni yn y 'news' – y radio, y teledu a'r papurau newydd. Waw!

Ro'dd Mami a Mam-gu ar bige'r drain drwy'r nos nes daeth Dadi a Tad-cu sha thre. Buon nhw mas am dair awr a chwarter. Fe halon nhw fi i'r gwely am ddeg, ond pan glywes i Dadi a Tad-cu'n dod yn ôl fe es i lawr stâr ac fe ges i aros i wrando.

Mae brwydr fawr o'n blaenau ni. Erbyn hyn, rydyn ni, blant y Gymdeithas, yn rhan o'r frwydr honno.

O! Dduw, diolch bod Llangyndeyrn yn sefyll fel un. Fel wedodd Mam-gu adeg yr eira, 'Mae Llangyndeyrn yn gallu gwrthsefyll unrhyw beth'.

Plîs Dduw, helpa ni i sefyll fel un, a diolch am bob peth. Nos da, Llangyndeyrn.

Dydd Mercher, Ebrill 10

Wedi darllen y *Journal* heddi. Wel, i fod yn onest, y llun oedd yn ddiddorol. Ar y dde ro'dd 'Jones Bach y Dŵr', un o fois Abertawe, a drws nesa iddo ro'dd Emlyn Thomas yr FUW – un yn fyr a'r llall yn dal.

Ro'dd pymtheg wedi mynd lan i gefnogi Eurwyn Davies ddoe. Ro'dd criwiau teledu o'r BBC a TWW yno. Buodd ITV ym Mhanteg hefyd.

Holes i Mam-gu. Mae mwy o amser 'da hi i siarad na Mami. Wedodd hi bod Glenys, Allt y Cadno, wedi rhoi dishgled a phice bach i'r pymtheg aeth lan, ac wedyn fe ddaeth 'Jones Bach y Dŵr' i'r clôs yn ei gar. Do'dd e ddim yn dishgwl yn ddim byd sbesial, wedodd Mam-gu, mewn mac a het fel pawb arall. Sa i'n credu ei fod *e* wedi cael dishgled a phice bach!

Gafodd e sioc wrth weld cymaint yno, a chafodd e ddim dodi'i droed ar y tir, hyd yn o'd. Fel wedodd Mam-gu, 'Fe gafodd Jones Bach y Dŵr wybod ei seis. Mae bois Llangyndeyrn yn ddigon o *fatch* iddo fe a'i sort. Siwrne seithug gafodd e.'

Mae'r hanes i gyd yn y *Journal*, ac mae'n siŵr y bydd yn y *Times* hefyd. Fe ffonies i Buddug, Ken a Susan ac ro'dd pawb yn bles.

Dim ond Emlyn Thomas yr FUW oedd heb het neu gap ar ei ben. Tad-cu'n dweud, pan welodd e'r llun yn y *Journal*, bod y Parch W. M. a Jones Bach y Dŵr yn dishgwl ar ei gilydd fel dau geiliog ymladd yn barod am ffeit. Ond roedd e'n credu taw'r Parch dorrith grib Jones Bach y Dŵr, nid fel arall.

Wel, fe wnaeth Llangyndeyrn yn siŵr fod Jones Bach y Dŵr yn cael ei anfon yn ôl a'i gwt rhwng ei goese!

Mae'r frwydr ar droed. Diolch i Dduw am benderfyniad Llangyndeyrn, ac am bob peth. Nos da, Llangyndeyrn.

Dydd Iau, Ebrill 11

Wedi bod ar patrôl eto heno ac yna cyfarfod yn y Pencadlys. Wedyn aethon ni i'r neuadd i brisio rhagor o bethe.

Mae gwobrwyon y raffl i gyd wedi cyrraedd ac mae Huw a Susan yn mynd i fod yn gyfrifol am werthu tocynne.

Mae'r bechgyn hŷn yn mynd i ddod draw nos fory i godi'r bordydd i ni. Hwrê, bydd Llewelyn yno! Mae'r menywod yn mynd i ddod i dynnu'r llestri mas yn barod a'n helpu i osod pethe ar y stondine.

Fi'n dishgwl ymlaen at nos fory – bydd yn lot o sbri – a ni, y Gymdeithas, sydd wedi trefnu'r cyfan.

Diolch i Dduw ein bod yn gwneud rhywbeth i helpu. Diolch i Dduw am gefnogaeth Llangyndeyrn ac am bob peth. Nos da, Llangyndeyrn. Ni'n gwneud ein gore.

Dydd Gwener, Ebrill 12

Ro'dd hi'n Ddydd Gwener y Groglith heddi. Buodd Mami a Mam-gu yn y gwasanaeth bore 'ma. Mae'n ddiwrnod trist iawn.

Wedi blino'n tswps. Bydda i'n waeth fyth nos fory.

Es i 'da Buddug i gael te. Grêt, ro'dd Llewelyn yno. Jiw, mae'n gallu byta lot ac mae'n gryf wrth godi bordydd. Buon ni'n brysur ofnadw yn gosod y stondine, rhoi'r llestri mas yn barod a chleber fel pwll y môr. Mae'r neuadd yn dishgwl yn dda.

Mae Mami wedi prynu blode i Mrs Syr ac wedi rhoi blode ar y llwyfan, o flaen y llenni. Mae gwobrwyon y raffl ar y piano. Popeth yn barod.

Plîs Dduw, gobeithio y bydd popeth yn mynd yn dda. Diolch am bob peth. Nos da, Llangyndeyrn.

Dydd Sadwrn, Ebrill 13

Dyma beth yw blino go iawn. Siŵr o fod taw fel hyn mae Dadi a Tad-cu'n teimlo bob dydd, a Mami ar ôl bennu stilo.

Fe aeth popeth yn grêt. Fe roiodd Syr swm teidi i ni ac mae Buddug wedi rhoi'r siec i David Smith. Ro'dd Mrs Syr yn bles iawn â'i blode.

Fe godon ni £25 i gyd. Brynes i'r gwningen fach ac fe brynodd Buddug yr ornament i'w Mam-gu. Wrth gwrs, fe brynodd Mam-gu lwyth o batryme gwau. Ges i gwpwl o lyfre a sawl copi o'r *Reader's Digest*, ac mae Gruff wedi prynu llond gwlad o gomics.

Ro'n i mor hapus ambyti un peth. Ro'n i'n codi llwyth o bethe trwm a daeth Llewelyn ata i a dweud, 'Dim gwaith i ferch fach bert yw hwnna. Gad e i fi'.

Waw! Ond sbwylies i bopeth drwy gochi. Ro'dd hyd yn oed fy nghlustie i'n dwym!

Arwen oedd enw'r ddol ro'dd Alice wedi'i rhoi ac fe enillodd menyw o Gwmisfael hi. Sa i'n gwybod ife hi oedd gwraig y dyn bach sy'n mynd i Landudno ar ei wylie.

Erbyn amser godro ro'dd popeth wedi'i glirio, ei olchi a'i gadw. Popeth yn barod nawr ar gyfer Sul y Pasg fory.

Fi'n gwybod bod Mam-gu wedi prynu bob o wy Pasg i Gruff a fi, a ni wastad yn cael *leg of lamb* a mint sôs i ginio. Ffein! Dishgwl 'mlaen i'r peth nesa nawr.

Diolch i Dduw am bobol y cwm hwn. Diolch i Ti am bob peth. Nos da, Llangyndeyrn. Wedi stopio gwisgo'n fest i fynd i'r gwely.

Dydd Sul, Ebrill 14

Do, fe gafon ni ginio ffein ac ro'dd Tad-cu a Mam-gu 'da ni.

Ar ôl cinio gafon ni agor ein hwye Pasg. Mae siocled wye Pasg yn ffeinach na siocled cyffredin.

Ro'dd eitha crowd yn yr eglwys bore 'ma. Mae llawer yn dod ar Sul y Pasg, fel i Gymun Noswyl y Nadolig. Ro'dd Mam-gu'n hapus hefyd achos ro'dd ei *forsythia* hi'n llawn blode. Mae pump ohonyn nhw 'da hi ac maen nhw'n bert iawn pan maen nhw yn eu blode. Mae'r tiwlips wedi agor hefyd a'r cennin Pedr yn dal i flaguro. Mae'r ardd yn dishgwl yn sbesial. Ro'dd Mam-gu'n sôn y diwrnod o'r blaen ei bod bron yn amser dod â'r pys pêr a'r Sweet Williams allan o'r tŷ gwydr. Ro'dd e'n drist ei chlywed yn dweud nad o'dd llawer o bwynt eu plannu eleni er mwyn i'r brithyll nofio o'u cwmpas. 'Drycha,' meddai wedyn a phwynto at y lawnt, 'dishgwl mor bert yw honna, yn llawn blode menyn. So nhw i fod yna, ond maen nhw'n bert.'

O'dd, ro'dd y lawnt yn bert. Ond mae Abertawe'n mynd i ddwgyd popeth sy'n bert yn y cwm hwn – a dwgyd ein treftadaeth hefyd. Mae treftadaeth wedi dod yn air pwysig yn Llangyndeyrn, a phawb yn grac am y byddwn yn ei golli. Ro'dd William Thomas yn dweud yn y *Journal*, 'I do not know what is going to happen when the first bull-dozer or drill starts to come.'

Fi'n gwybod taw llefen fydda i, a phob menyw arall yn Llangyndeyrn, wrth eu gweld yn rhwygo'r ddaear lle mae Dadi, Tad-cu a chenedlaethau o'u blaen wedi gweithio mor galed i wella'r tir.

Ro'dd e'n dweud yn y *Journal* hefyd bod gweision ffarm yn moyn gweithio llai o orie. Maen nhw'n gweithio'n galed. Maen nhw'n moyn £10 yr wythnos a thorri'r oriau gwaith i 40 awr. Os na chân nhw hyn, mae'n debyg y byddan nhw'n mynd i chwilio am waith yn rhywle arall. Bydd yn eitha anodd i sawl ffermwr os bydd hynny'n digwydd.

Ni'n ffodus man hyn gan fod Dadi a Tad-cu yma. Fel arall, bydde'n rhaid cael gwas. Adeg llafur a'r gwair mae'r cymdogion i gyd yn helpu ei gilydd, ac wedi i bopeth ddod i ben ry'n ni i gyd yn mynd lawr i Ddinbych-y-pysgod a Caldey am drip. Diwrnod bendigedig bob tro. Ishte ar y traeth, y plant yn oifad a'r bobol fawr yn golchi'u traed yn nŵr y môr. Mae'r hen ddynion yn dishgwl yn gomic 'da'u trowseri wedi'u rhowlio lan, a bob o facyn poced, 'da chwlwm ar bob cornel, ar eu pen i'w cysgodi rhag yr haul.

Fe ddiolchodd y Ficer i blant y pentre yn y gwasanaeth bore 'ma am eu gwaith ddoe. Roedden ni i gyd yn teimlo'n browd.

Wedodd Mam-gu taw er mwyn rhai fel ni ro'dd yn rhaid ymladd i gadw'r cwm, ein treftadaeth ni. Cweit reit, Mam-gu. Fi bron yn ffaelu credu mod i'n teimlo'n hapus, ond fi yn. Fi'n browd o bobol Llangyndeyrn. Fi'n browd o blant Llangyndeyrn. Fi'n credu bod beth wedodd William Thomas yn y *Journal* yn mynd i ddod yn wir: 'Within a fortnight, the whole of the British Isles will know about the village and the valley.'

Diolch, Dduw, am ddod â gobaith Sul y Pasg (y Ficer wedodd hynna heddi) a'r gobaith i Langyndeyrn ein bod am achub y cwm. Ni'n bownd o gadw'r cwm i ni sy'n ei berchen. Diolch,

Dduw, am y gobaith, a diolch am bob peth. Nos da, Llangyndeyrn.

Dydd Mercher, Ebrill 17

Mae Lady Mabel Pryce Saunders wedi marw. Ro'dd hi a'i theulu'n arfer gwneud llawer dros yr ysgol a'r eglwys. Mae sawl carreg i'w theulu hi ar waliau'r eglwys a bedd sbesial 'da nhw yn y fynwent. Mae angel mawr gwyn yn dishgwl ar ôl y bedde. Mae'n dishgwl braidd yn ddychrynllyd yn y nos pan mae lleuad lawn.

Heddi ro'dd criw ffilmio o ITV ym Mhanteg yn siarad â ffermwyr ar gyfer y rhaglen *In the News*. Mae geirie William Thomas yn dechre dod yn wir. Mae Prydain Fawr yn mynd i wybod amdanon ni. Wedi bod ar batrôl heno. Popeth fel arfer, ac fe gafon ni sawl *chat* fach ar y ffordd.

Mae Lili'n tyfu nawr. Dyna drueni, fydd hi ddim yn oen bach am sbel hir eto.

Rhai pobol wedi dechre gosod yr ardd. Mae hi'n braf mas gyda'r nos yr amser hyn o'r flwyddyn. Clebran 'da hwn a'r llall. Wedi sylwi bod blode'r gwynt yn dechre gwthio'u penne lle mae coed deri'n tyfu.

Ychydig dros fis arall, a bydd canlyniade'r 11+ yn dod. Ych a fi!

Mae pawb wrthi'n brysur yn sgwaru tail. Fel mae Mam-gu'n ddweud, 'Mae gwynt y tail yn codi whant bwyd arnat ti'. Ydy, mae e, ond sa i'n credu bydd plant Abertawe'n cytuno. Gwynt cas yw e iddyn nhw. Fi'n meddwl yn aml tybed beth mae plant y dre'n ei wneud pan does dim ysgol. Mae'n rhaid eu bod yn ddiflas ofnadw.

Teimlo bach yn ddiflas fy hun heddi gan fod y sêl drosodd. Rhaid meddwl am rywbeth arall i'w wneud yn y cyfarfod, ddydd Sadwrn. Diolch i Dduw am gael byw yn y wlad, er bod popeth dan fygythiad. Shwd bydde plant y dre'n teimlo petai eu tai nhw'n cael eu boddi a'u cymdogion nhw'n gorfod symud i rywle arall i fyw? Fi'n meddwl am bobol Caerfyrddin yn gorfod symud i fyw i Abertawe neu bobol Abertawe'n gorfod symud i fyw i Gaerdydd. Beth am bobol Aberteifi yn gorfod symud i fyw i Aberystwyth? Ond am taw lle bach yw hwn, so nhw'n meddwl bod ni'n bwysig. Maen nhw'n meddwl bod dinasoedd yn fwy pwysig na phentrefi, a brics a mortar yn fwy pwysig na daear – ac o ble maen nhw'n meddwl mae llaeth a chig go iawn yn mynd i ddod? Mewn pacedi plastig o E. B. Jones neu stôrs Home and Colonial?

Jiw, jiw, fi'n dechre pregethu! Falle taw dyna beth fydda i rhyw ddiwrnod – ficerwraig. Sdim shwd beth i gael nawr, wrth gwrs – ond rhyw ddydd, falle. Meddyliwch – menyw'n ficer yn Llangyndeyrn! Wel, os bydd Llangyndeyrn yn ennill y frwydr hon, pwy a ŵyr?

Plîs, Duw, helpa ni i ennill y frwydr, a diolch am bob peth. Nos da, Llangyndeyrn.

Dydd Sadwrn, Ebrill 20

Y Gymdeithas wedi cwrdd. Ro'dd Dadi'n dweud bod y Pwyllgor Amddiffyn yn mynd i ddechre codi arian o ddifri nawr yn lleol i ddechre, ac wedyn yn genedlaethol. Jiw, mae hwnna'n swnio'n posh. Falle taw ni'r plant sy wedi rhoi pwsh bach iddyn nhw!

Bore 'ma fe benderfynon ni fynd o dŷ i dŷ gyda chynllun o gae. Bydd y cae wedi cael ei rannu'n sgware â rhif ym mhob sgwâr. Bydd pawb yn talu chwe cheiniog am ddyfalu ym mha sgwâr mae Strawberry'r fuwch wedi teilo. Mae Martin yn mynd i wneud cynllun y cae. Mae'n sbesial am wneud pethe fel 'na. Mae e'n gomic. Wedodd e bore 'ma yn y Pencadlys, 'Ni'n chargio *sixpence* am *shit* ond fi'n gwybod so ti bod i weud e fel 'na. Sa i'n gwybod beth yw gair Cymraeg Ysgol Sul am *shit*.'

'Cachu,' atebodd Huw yn syth. Wrth lwc, wedodd Buddug, 'Nage, Martin, tail.'

Fel wedodd Buddug wedyn, 'O'n i'n dychmygu Martin yn mynd lan i'r Vicarage ac yn gofyn i'r Ficer neu Mrs Williams, 'Ti'n moyn cachu am *sixpence*?'

Ni'n mynd i ofyn i'r Parch W. M. Rees i ddewis pa sgwaryn fydd Strawberry'n teilo ynddo, ac mae Dadi wedi addo rhoi gwobr. Sa i'n gwybod beth eto.

Gafon ni gyffro mawr heno. Mae Huw wedi dal dau bysgodyn. Ffoniodd e bawb i ddweud.

Nos Lun ar ôl yr ysgol ni'n mynd i gael picnic yn y Pencadlys. Mae dau bysgodyn braidd yn ychydig, ond fel wedodd Tad-cu, 'Cofiwch am stori porthi'r pum mil'.

Mynd i gysgu nawr. Diolch i Dduw am ffrindie mor neis, ac am gael byw yn Llangyndeyrn. Diolch i Dduw am bob peth. Nos da, Llangyndeyrn.

Nos Lun, Ebrill 22

Wrth lwc, ro'dd y tywydd yn ffein. Gafon ni goginio'r ddau bysgodyn a bwyta tu fas. Dim ond cegaid o bysgodyn yr un o'dd 'na, ond ro'dd e'n tasto'n ffein.

Daeth sawl un â rhagor o fwyd i ni. Erbyn y diwedd ro'dd gormod yna. Ro'dd pobol wedi dod â brechdane, cacs a chrisps i ni. Ro'n i'n rhy llawn i fwyta swper, er taw cawl Mam-gu oedd e. Ro'dd Gruff yn rhy llawn hefyd. Ro'dd e wedi cael dod gyda ni achos taw fe yw'r masgot. Fe aethon ni â'r cacs a'r brechdane sbâr i'r *old-age*. Roedden nhw'n dwlu eu cael nhw. Mae Huw wedi addo dala mwy o bysgod y tro nesa!

Mae Harry Williams, Panteg, wedi bod â phetisiwn o gwmpas y ffermydd sydd dan fygythiad, yn gofyn iddyn nhw beidio gwerthu eu heiddo. Sa i'n deall yn iawn beth yw ystyr hynna, a heb gael amser i holi eto.

Diolch, Dduw, am wneud gwyrth fach arall amser te. Diolch am bob peth. Nos da, Llangyndeyrn.

Nos Iau, Ebrill 25

Pen-blwydd Buddug heddi, ond dydd Sadwrn mae'r parti. Dishgwl 'mlaen. Mae'r Gymdeithas i gyd yn mynd. Fi wedi prynu Alice Band ac *Anne of Green Gables* iddi.

Mae Martin wedi gwerthu hanner cant o sgware'n barod. Fi wedi prynu sgwâr. Mae Richard yn mynd 'da fe i wneud yn siŵr so fe'n dweud 'shit' na 'cachu'. Os bydda i'n ennill, gobeithio na fydd Dadi'n rhoi copïau o'r *Tir* yn wobr!

Diolch i Dduw am bob peth. Nos da, Llangyndeyrn.

Wedi codi. Ro'n i'n ffaelu cysgu. Fi wedi bod yn dishgwl ar ryw nodyn ysgrifennais i yn fy llyfr bach sgrap. Mae'n dweud, os bydd y boddi'n digwydd, y bydd mil o erwe o dir ffermio ffrwythlon yn mynd dan y dŵr. Mae 'na fwy na deng mil o dda – heb sôn am ddefaid, moch a ffowls – rhwng Llangyndeyrn a Phorth-y-rhyd. Does dim synnwyr yn y peth.

O Dduw, rwyt Ti'n hollalluog. Mae hynna'n golygu y galli Di wneud pob peth. Plîs, plîs, gwna i Abertawe weld synnwyr. Nos da, Duw a diolch am wrando.

Dydd Sadwrn, Ebrill 27

Wedi cael parti da lan yn ffarm Buddug. Ro'dd digonedd o fwyd – jeli, hufen iâ, brechdane, crisps, cacs bach a chacen pen-blwydd 'da eisin pinc a gwyn.

Wedyn buon ni mas yn chware cwato ac ro'dd mam Buddug wedi gwneud helfa drysor. Huw enillodd, ac fe gafodd e far mawr o siocled.

Martin yn dweud bod y sgwariau wedi'u gwerthu i gyd. Fe alwon ni 'da'r Parch W. M. Rees ar y ffordd gartre i gael gweld pa sgwâr oedd yn ennill.

John bach yw'r enillydd. Fe fydd Mr Rees yn cyhoeddi ei enw ym Methel fory a'r Ficer a'r Parch Victor Thomas yn ei gyhoeddi yn yr Eglwys a Salem. Am taw plentyn sydd wedi ennill, mae Dadi wedi rhoi punt yn wobr iddo i'w wario dros amser yn siop Dai.

Diolch, Dduw, am ddiwrnod da. Nos da, Llangyndeyrn.

Dydd Mercher, Mai 1

Diwrnod Calan Mai. Fel dwedodd Mam-gu, amser carnifal, ffair a chlychau'r gog. Wedi sylwi bod clychau'r gog a'r blode tarane mas yn barod. Does dim carnifal yn Llangyndeyrn. Pan wedes i 'na wrth Tad-cu wedodd e, 'Mae'n garnifal man hyn rownd abowt rhwng dy fam-gu a dy fam,' a rhoi winc fawr arna i tu ôl i gefn Mam-gu.

Ges i syniad – gall y Gymdeithas drefnu cystadleuaeth gwisg ffansi, a phawb sy'n moyn cystadlu i dalu tair ceiniog. Fe ofynnwn ni i Mrs Kelly feirniadu a bydd rhywun yn siŵr o fod yn fodlon rhoi gwobr neu ddwy. Rhaid i mi sôn am y peth yn y cyfarfod ddydd Sadwrn.

Dim ond dau beth sy'n ein poeni ni i gyd nawr – y boddi, a chanlyniade'r 11+.

Diolch, Dduw, fy mod i'n gallu cael syniade. Sa i'n hoffi bod yn ddigywilydd ond fi'n trio gwneud fy ngore dros Llangyndeyrn. Plîs, os gweli di'n dda, wyt ti'n fodlon gwneud yr un peth? Ond dwedodd Mam-gu, ryw dro, nad wyt Ti'n gallu ateb gweddi pawb. Beth wedodd hi o'dd, falle mod i'n gweddïo am ddiwrnod ffein ar gyfer mynd i Ddinbych-y-pysgod ar drip, a bod merch fach yn Affrica'n gweddïo am law er mwyn i'w bwyd hi dyfu rhag i'r teulu starfo. Pa un o'dd fwya pwysig i Ti ei ateb? Y tro hwn alla i ddim meddwl am ddim byd mwy pwysig nag achub Llangyndeyrn. Diolch am wrando. Nos da, Dduw, a nos da Llangyndeyrn.

Nos Wener, Mai 3

Pen-blwydd Beca Gwenllian. Heddi fi'n un ar ddeg oed. Parti fory. Mami gafodd y syniad o ddod â phicnic amser cinio i ni i gyd i'r Pencadlys fory. Bydd hwnna lawer yn well nag ishte rownd y ford gartre.

Fe ges i syniad arall – gofyn i Llewelyn a'r bois

mawr ddod hefyd am eu bod nhw'n ein helpu ni. Wedodd Mami bod digon o fwyd 'da hi. Mae Mam-gu wedi bod yn ei helpu drwy'r dydd.

Fi'n dishgwl 'mlaen at fory. Ni'n cael trafod y busnes am ddeg, wedyn mynd ar patrôl a'r parti am hanner dydd.

Diolch, Dduw, am allu dishgwl 'mlaen a diolch am bob peth. Nos da, Llangyndeyrn.

Dydd Sadwrn, Mai 4

Dyma ddiwrnod da, a'r pen-blwydd gore eto! Ges i docyn llyfre 'da Dadi a Mami, breichled fach arian 'da Mam-gu a Tad-cu, a bar o siocled Fruit and Nut gan Gruff. Ges i necles 'da Buddug a chardie oddi wrth bawb yn y Gymdeithas. Ges i un oddi wrth tad a mam Buddug, ac ro'dd Llewelyn wedi ysgrifennu arni hi hefyd. Fi'n mynd i gadw hon am byth. Fy ngharden gynta oddi wrth Llewelyn.

Yn y pwyllgor fe benderfynon ni gael dwy gystadleuaeth gwisg ffansi – un i'r plant bach ac un arall i'r plant hŷn. Mae Martin yn mynd i wneud posteri fel arfer. Sa i'n gwybod beth nelen ni heb Martin. Byddwn yn cynnal y gystadleuaeth ar y dydd Sadwrn cyntaf ar ôl i'r ysgol gau am wyliau'r haf. Os bydd y tywydd yn ffein, fe fydd y cystadleuwyr i gyd yn cerdded o'r neuadd i fyny at Lanyrynys ac yn ôl, cyn belled â'r seit, cyn mynd i'r neuadd ar gyfer y feirniadaeth.

Gafon ni fwyd bendigedig wedyn. Mae Mami a Mam-gu'n gwneud bwyd ffein. Ro'dd y bois mawr yn mwynhau hefyd. Jiw, mae Llewelyn yn gallu bwyta sosej rôls! Fe wedon ni wrth y bois mawr am y gystadleuaeth, ac ro'dd Llewelyn yn meddwl y bydde'n syniad da cael cystadleuaeth addurno beic gan fod beic 'da'r rhan fwya o blant Llangyndeyrn. Mae'n mynd i fod yn ddiwrnod gwych os bydd y tywydd yn braf.

Ar hyn o bryd, tywydd go ddiflas ry'n ni'n gael; a dyw hi ddim yn dishgwl yn dda ar gyfer y gwair a'r llafur. Dyw 1963 ddim wedi bod yn flwyddyn dda hyd yn hyn, rhwng iâ ac eira'r gaeaf, y glaw nawr, yr 11+ a'r boddi.

Plîs, Duw, HELPA NI. Nos da, Llangyndeyrn.

Dydd Sadwrn, Mai 11

Mae posteri Martin yn werth eu gweld. Byddwn i'n dwlu gallu printio a gwneud llunie bach fel sy 'da fe. Wrth gwrs, mae Richard yn gwneud yn siŵr bod ei sillafu'n gywir.

O ran y patrôl, mae popeth yn dawel. Mae

sboner Janet, Tŷ Nant, yn dal i ddod i'w gweld yn y car posh. Sylwodd Buddug, Susan a fi pan o'n ni ar batrôl y noson o'r blaen bod angen clirio gardd Mrs Jones, Tŷ Pen, yn druenus. Mae Wil, ei gŵr, wedi marw ac ro'dd e wastad yn cadw'r ardd yn bert. Aethon ni'n tair i ofyn iddi os allen ni a'r bois ei chlirio iddi. Ro'dd hi mor falch. Gafon ni ddishgled o de a bara brith. Aeth Martin â phentwr mawr o ddant y llew gartre i Hoss, ei gwningen. Ro'dd Mrs Jones mor falch fe roiodd hi chweugen at y gronfa.

Rhaid dechre meddwl am wisg ffansi a shwd i addurno'r beic. Mae meddwl am bethe fel hyn yn help i anghofio am ganlyniade'r 11+. Maen nhw'n dod wythnos nesa. Dydd Gwener, fi'n credu. So Syr wedi dweud yn iawn. Rhag ofan i ni fecso gormod, siŵr o fod. Ych!

Diolch, Dduw, am allu helpu Mrs Jones ac am bob peth. Nos da, Llangyndeyrn.

Dydd Mawrth, Mai 14

Fi wedi cael syniad beth i wisgo yn y gystadleuaeth gwisg ffansi. Wel, nid fi gafodd y syniad ar ben fy hun. Ro'n i'n siarad 'da Mami a chafodd hi'r syniad gwych o wnïo dau gasyn bolster wrth ei gilydd i wneud tiwb hir. Wedyn printio 'COLGATE' arno a mynd fel tiwb o bâst dannedd. Bydd hi wedyn yn gwneud het fel top y tiwb i mi wisgo ar fy mhen. So Gruff yn hoffi gwisgo lan, ond mae e'n fodlon mynd yn ei ddillad rygbi.

Fi'n mynd i addurno'r beic 'da roséts enillodd Mami, pan oedd hi'n fach, mewn sioeau am farchogaeth. Wedyn fe ddoda i garden arno fe, 'Y CEFFYL HAEARN'. Fi'n hoffi sioeau hefyd. Pontargothi yw'r un gyntaf bob amser ac mae sioe Llanddarog, sioe'r Banc a sioe Llandyfaelog yn dilyn – heb sôn am yr United Counties a'r Royal Welsh. Fi'n hoffi mynd iddyn nhw i gyd.

Dim yn dishgwl ymlaen o gwbwl at ddydd Gwener. Fi'n cael pili pala yn fy stumog wrth feddwl am y diwrnod. Nos da, Duw. Nos da, Llangyndeyrn.

Dydd Gwener, Mai 17

Mae'r diwrnod roedden ni i gyd yn becso amdano wedi cyrraedd o'r diwedd. Fydda i byth yn gallu anghofio heddi. Do, fe basies i. Ond mae beth o'n i'n ofan wedi digwydd. Pawb wedi pasio ond Martin. Byddwn ni i gyd yn mynd i'r ddwy ysgol Ramadeg yng Nghaerfyrddin – y Boys' Gram a'r

Girls' Gram a Martin yn mynd y ffordd arall i Ysgol Uwchradd Pontyberem. Fe fyddwn ni i gyd yn mynd i'r dre a Martin yn mynd i mewn i'r cwm. Fe fyddwn ni'n mynd at y *townies*, a ni fydd yr *hambones*. Bydd Martin yn iawn. Bydd e yn ei gynefin. Bydd e yn dal yn un o fois y cwm.

Wrth gwrs fyddwn ni, sy'n mynd i'r dre, ddim yn yr un ysgol achos mae ysgolion y merched a'r bechgyn ar wahân, ond byddwn yn teithio ar yr un bws. Fe fydd hi'n od gorfod bod ar wahân i Ken, Richard a Huw. Wedodd Syr wrth Martin y bydde Pontyberem yn ei siwtio fe lawer yn well. Fydde fe ddim yn cael gwaith coed yn y Gram, a phethe fel 'na mae e'n hoffi. Sa i'n siŵr o'dd Martin druan yn ei gredu. Fi'n siŵr ei fod bron â llefen, achos mae e'n mynd i fod yn wahanol i ni i gyd, ond wnaeth e ddim. Ro'n i bron â llefen drosto fe. Ni wedi dweud wrtho fe am beidio becso. Mae e'n dal yn ffrind i ni a rhaid i ni gael ei help yn y Gymdeithas i achub Llangyndeyrn.

Diolch, Dduw, mod i wedi pasio. Plîs, Duw, helpa Martin i ddod dros ei siom a sylweddoli'n bod ni'n dal i'w hoffi, achos Martin yw e a Martin fydd e am byth. Nos da, Duw. Nos da, Llangyndeyrn.

Dydd Sadwrn, Mai 18

Gan fy mod wedi bod yn becso cymaint am yr hen 11+ yna, anghofies i roi hwn yn fy nyddiadur.

Mae sawl ffermwr wedi derbyn llythyr o Abertawe yn dweud bod syrfeiyrs yn moyn archwilio'u tir a'u bod nhw'n moyn caniatâd y ffermwyr. Os na fydd Abertawe wedi cael eu caniatâd erbyn bore Iau, Mai 23, fe fyddan nhw'n ysgrifennu llythyr at ryw 'minister' o'r enw Syr Keith Joseph yn Llunden. Beth mae hwnnw'n wybod amdanon ni yn Llangyndeyrn? Ydy hwnnw'n mynd i fecso y bydd Ynysfaes yn llwyr o dan y dŵr? Ydy hwnnw'n mynd i fecso bod y syrfeiyrs yn mynd i dyllu mewn can erw o dir Glanyrynys, a'r da i gyd yn cael ofan a gwylltu? Ydy hwnnw'n mynd i fecso, wrth iddyn nhw arbed Porth-y-rhyd, y bydd llawer mwy o Llangyndeyrn yn mynd o dan y dŵr? Sa i'n credu.

Fi'n cael rhyw deimlad od weithie bod rhywbeth mawr ar fin digwydd. Sa i'n gwybod beth yn hollol, ond mae rhywbeth yn y gwynt. Mae'r Pwyllgor Amddiffyn yn cwrdd nos Lun, a falle bydd rhywbeth yn digwydd bryd hynny.

Ddaeth Martin ddim i'r Pencadlys bore 'ma, felly aethon ni i chwilio amdano fe. Gan ei bod yn ddiwrnod eitha ffein, fe benderfynon ni fynd i lawr at yr afon 'da Huw tra o'dd e'n pysgota, a mynd â phicnic i'w fwyta. Wedodd mam Martin ei fod yn dod. Ddaeth Susan ddim, ro'dd hi'n mynd i helpu'i Mam-gu i chwynnu. Does dim ffôn 'da mam-gu Susan, ond mae ciosg ar ben yr hewl. Mae hi'n cadw arian mân mewn pot jam ar y silff ben tân i fynd i ffonio os bydd hi'n gweld unrhyw un amheus ambyti'r lle.

Gafon ni amser da. Dries i bysgota, ond ddalies i ddim byd. Sa i'n gallu dishgwl ar Huw pan mae e'n rhoi'r mwydyn ar y bachyn, na phan mae'n bwrw'r pysgodyn druan ar ei ben ar ôl ei ddal. Daliodd Huw un brithyll a dwy lysywen. Alla i ddim meddwl am fwyta llysywen. Mae Huw yn mynd â'r llyswennod mae'n eu dal at Maggie, sy'n byw yn y byngalos i'r *old-age*. Maen nhw'n ffein, medde hi.

Mae 'nhrwyn i wedi dechre cochi. Ych! Ro'dd Buddug yn conan y bydd ei brychni haul hi'n dod mas yn waeth nag erio'd. Wedodd Maggie wrthi am fynd mas yn gynnar yn y bore ac ymolch ei hwyneb yn y gwlith. Dyna'r ffordd ore i gael gwared ar frychni haul, yn ôl Maggie. Mae Buddug am roi cynnig arni.

Diolch, Dduw, am ddiwrnod mor ffein a bod Martin wedi mwynhau. Plîs, Dduw, paid â gadael i'n hafon fach ni, sy'n rhoi shwd bleser i ni, ein boddi.

Wedi sylwi heddi bod cywion piod allan o'u nythod. Dyna sut gafodd Llwynpiod ei enw, siŵr o fod, am fod lot o biod yno. Maen nhw, fel arfer, yn rhedeg ar ôl eu rhieni am fwyd. Weithie fi'n gallu eu gweld yn fflapian drwy'r brigau yn un rhes. Maen nhw'n dishgwl yn gomic. Nos da, Duw. Diolch am bob peth. Nos da, Llangyndeyrn.

Nos Lun, Mai 20

Wedi cael aros lan i glywed beth ddigwyddodd yn y Pwyllgor Amddiffyn. Mae rhyw deimlad o bopeth ar stop yn Llangyndeyrn ar hyn o bryd am ddau reswm – y tywydd a'r bygythiad y bydd y lle'n cael ei foddi. Mae'r gwair a'r llafur yn mynd i ddioddef. Ro'dd un deg saith o'r ffermwyr dderbyniodd lythyr o Abertawe yn y cyfarfod, ac maen nhw'n mynd i anfon bob o lythyr i brotestio. Maen nhw hefyd yn mynd i gynnal cyfarfod cyhoeddus nos Wener, Mai 24, i ofyn am help pobol Pont-iets. Mae pethe'n dechre twymo.

Plîs, Dduw, bydd gyda ni a gwranda ar weddïau'r Parch W. M. Rees. Nos da, Llangyndeyrn.

Nos Wener, Mai 24

Dadi a Tad-cu wedi dod yn ôl o Bont-iets. Mami, Mam-gu a finne wedi bod ar bige'r drain. Cafodd Gruff aros lan hefyd, ond cwmpodd i gysgu ar y soffa o flaen y Rayburn 'da Mali'r gath fach ar ei bwys.

Fe fuodd y Parch W. M. Rees a Cyril Isaac o gwmpas Pont-iets a rownd y pentrefi cyfagos am ryw awr a hanner cyn dechre'r cyfarfod ac ro'dd eitha crowd wedi dod i'r neuadd erbyn i William Thomas agor y cyfarfod. Siaradodd sawl un yn dda, yn ôl Dadi. Ro'n i'n hoffi beth o'dd Arwyn Richards, Llandre, wedi'i weud, sef ei fod e ofan i 'wlad y gân fynd yn wlâd y dŵr'. Ro'dd Tad-cu'n hoffi hwnna hefyd.

Ro'dd rhai o'r ffermwyr yn moyn mynd â thractorau i Abertawe fel protest, ond wedodd rhywun bod hynny ddim yn ddigon. Mae angen llawer mwy. Ro'dd pawb wedi pleidleisio i gefnogi Llangyndeyrn ac fe ddaethon nhw â'r cyfarfod i ben, fel ry'n ni'n wneud yn y Pencadlys, drwy ganu 'Hen Wlad fy Nhadau'.

Wedodd Tad-cu wrtha i am gofio geirie Saunders Lewis, ac mae e wedi'u ysgrifennu i lawr i mi:

> 'Gwinllan a roddwyd i'm gofal yw Cymru
> fy ngwlad,
> i'w thraddodi i'm plant, ac i blant fy mhlant,
> yn dreftadaeth dragwyddol.'

Diolch, Dduw, am gefnogaeth y coliers ym Mhont-iets. Maen nhw'n gwybod shwd y bydden nhw'n teimlo petai'r pylle glo'n cael eu cau. Diolch am bawb fuodd yn siarad droson ni heno. Diolch am Saunders Lewis. Diolch am bob peth. Plîs helpa ni i gadw'n gwinllan. Nos da, Llangyndeyrn.

Dydd Sadwrn, Mai 25

Wedi cael diwrnod bendigedig yn rali'r ffermwyr ifanc yng Nghaerfyrddin. Clwb San Clêr enillodd y brif wobr eleni. Rwy'n dishgwl 'mlaen at gael bod yn aelod. Fi'n credu taw i Glwb Sant Ishmael fydda i a Buddug yn mynd. Dyna ble mae Llewelyn yn aelod.

Diolch i Dduw am y ffermwyr ifanc. Diolch am bob peth. Nos da, Llangyndeyrn.

Dydd Sul, Mai 26

Wedi bod yn becso drwy'r dydd. Beth mae Dadi a Tad-cu'n mynd i wneud os caiff Llangyndeyrn ei foddi? Duw, gwna dy ore. Nos da, Llangyndeyrn.

Dydd Iau, Mai 30

Mae ymchwiliad cyhoeddus wedi'i drefnu yn Llangyndeyrn ar ddydd Mercher, Mehefin 26. Yn ôl Dadi mae lot o waith llythyru a siarad wedi bod yn mynd 'mlaen, ac mae Mrs W. M. Rees, gwraig y gweinidog, wrthi'n gwneud bwyd a the i bawb, ac yn ateb y ffôn drwy'r dydd bob dydd. Mae gorymdaith brotest i'w chynnal yn y pentre yr un pryd â'r ymchwiliad. Yn ôl Dadi, bydd hyn yn ergyd i Abertawe, achos bydd cefnogaeth leol yma. Yn dawel fach, mae pobol Abertawe'n ofni'r brotest. Syniad Elwyn Jones, y bildar, oedd y brotest, a fe sy'n mynd i wneud yn siŵr bod pawb yn cadw trefn.

Fi'n hapus ein bod ni, y plant, yn cael bod yn rhan o'r orymdaith. Byddwn yn colli bore o'r ysgol. Ni'n mynd i wneud baneri a'u cario. Gobeithio y bydd y cwm i gyd yn ein cefnogi. Diolch i Dduw, mae rhywbeth yn digwydd. Sori mod i'n conan, Dduw, ond heblaw am ddishgwl ar ôl Llangyndeyrn, wyt ti'n fodlon gwneud rhywbeth ambyti'r tywydd? Mae'r glaw diddiwedd yn lladd y llafur a'r gwair, a phob peth yn mynd yn tswps. Nos da, Llangyndeyrn.

Dydd Sadwrn, Mehefin 1

Wedi cwrdd yn y Pencadlys. Mae Martin yn mynd i wneud baner i ni, ond sa i'n gwybod pwy sy'n mynd i wneud y baneri eraill. Mae Martin yn dwlu gwneud pethe fel hyn.

Ni'n dal ar patrôl. Fi'n credu ein bod, mewn ffordd, yn helpu Jack Smith. Achos os gwelwn ni rywbeth, byddwn yn mynd i ddweud wrth Mr Smith. Yna bydd e'n mynd i ganu cloch yr eglwys i alw pawb at ei gilydd i rwystro'r Blodyn, ei Chwyn a Jones Bach y Dŵr rhag cael dod i mewn i'r pentre. So *neb* yn mynd i gael dod i mewn. Bydd e fel adeg y rhyfel. Ro'dd clyche'r eglwys yn canu bryd hynny os oedd *invasion*. Dyna beth yw hwn hefyd. Mae rhyfel arall ar stepen ein drws. Mewn ffordd, fi'n dishgwl ymlaen at y brotest cyn y frwydr.

Duw, sori mod i'n conan 'to, ond so'r tywydd yn gwella dim. Diolch am bob peth. Nos da, Llangyndeyrn.

Dydd Sul, Mehefin 2

Fi'n gwybod sut mae tad Buddug yn teimlo. Fi'n methu meddwl 'mlaen chwaith. Ysgol newydd, dillad newydd, llyfr newydd, helpu Mam-gu i blannu pethe yn yr ardd. Popeth ar stop. Dim ond un peth sy'n bwysig nawr – trechu'r Blodyn a'i griw.

Fi'n cael gyrru'r hen fan fach ar fy mhen fy hun i'r caeau pella nawr. Stirling Moss yr ail!

Nos da, Duw. Nos da, Llangyndeyrn.

Dydd Mawrth, Mehefin 4

Mae sôn bydd priodas cyn bo hir, rhwng Janet a boi y car posh. Shwd gall Jack Smith ganu'r gloch yn y briodas? Falle bydd pawb yn credu taw rhybudd *invasion* yw e. Bydde hynna'n newyddion yn y papure.

Mae Martin wedi dechre gweithio ar ein baner ni.

Nos da, Duw. Nos da, Llangyndeyrn.

Dydd Sadwrn, Mehefin 8

Mae Martin wedi gwneud poster i ni. Mae'n sbesial. Arno fe mae'r geirie – *Hands off Llangyndeyrn!* (Mae Martin yn well yn Saesneg nag yn Gymraeg)

So ni'n mynd i'r ysgol ar ddydd y brotest. Gofynnodd y Pwyllgor Amddiffyn i'r *Education* am ganiatâd i gau'r ysgol ond gwrthodon nhw.

Sdim ots, mae pobol Llangyndeyrn yn gwneud beth maen nhw'n moyn. Fe wnawn ni unrhyw beth i gadw Llangyndeyrn. Hyd yn oed torri'r gyfreth, os bydd raid, ond dim byd cas i wneud niwed i neb. Mae rhai'n sôn eu bod yn barod i fynd i'r carchar. Sa i'n moyn i Tad-cu a Dadi fynd i'r carchar, a gorfod byw ar fara a dŵr heb weld porfa na haul.

Mae popeth wedi'i drefnu. Mae pawb i fod i gwrdd ar sgwâr Heol Dŵr erbyn hanner awr wedi naw, a so'r Ficer yn mynd i roi'r allwedd i agor y neuadd nes bydd pobol Llangyndeyrn wedi cyrraedd ac wedi canu 'Hen Wlad fy Nhadau'.

Fi'n dishgwl 'mlaen at y sialens, ond falle na ddylwn i ddim. Mae popeth mas o le, rywsut. Popeth yn topsi tyrfi. Tywydd yn ddim gwell. Dim byd yn mynd yn iawn.

Wel, pader swyddogol nawr, Dduw. Wyt ti'n cofio am y tywydd? Ond wedyn, falle bod rhywun arall angen glaw yn fwy nag ŷn ni'n moyn haul. So ni'n mynd i starfo. Anghofia'r haul, jyst helpa ni i gadw'n cartrefi.

Diolch, Dduw, am bob peth. Nos da, Llangyndeyrn.

Dydd Sadwrn, Mehefin 15

Dal i batrolio, ac wedi cael sawl socad gan fod y tywydd mor wael. Bydd gwaith glanhau ar y beic cyn gall e droi'n geffyl haearn.

Dadi, Tad-cu a phawb o'r oedolion yn brysur 'da atal y boddi. Sa i'n gwybod popeth sy'n digwydd. Mae rhyw deimlad cynhyrfus drwy'r pentre, a phawb ar bige'r drain.

Planhigion Mam-gu'n tyfu ond dyw'r gwair a'r llafur ddim. Dyma beth yw cawlach. Sori mod i'n conan, Duw. Dria 'i beidio. Nos da, Duw, a diolch am bob peth. Nos da, Llangyndeyrn.

Dydd Mawrth, Mehefin 25

Diwrnod rhyfedd o'dd heddi, pan o'dd pawb yn becso ac eto'n dishgwl 'mlaen. Mae lot yn dibynnu ar fory. Plîs, Duw, gawn ni help?

Fi'n cofio'r emyn yna ni'n ganu ambell waith pan mae'r gwasanaeth yn Saesneg yn yr eglwys:

> 'O God, our help in ages past,
> Our hope for years to come.'

Gwranda arnon ni, Dduw, a helpa ni. Diolch, Dduw, am bob peth. Nos da, Llangyndeyrn.

Dydd Mercher, Mehefin 26

Dyna beth o'dd diwrnod cyffrous. Erbyn hanner awr wedi naw ro'dd tua phedwar cant wedi ymgynnull yn sgwâr Heol Dŵr. Pedwar cant!

Ro'dd llwyth o faneri Cymraeg a Saesneg, ac un â rheg arni hi, 'Damn the dam'.

Ro'dd Mrs Williams y Vicarage yn dishgwl ar ein holau ni rhag ofan i ni wneud sŵn. Ni o'dd yn arwain yr orymdaith. Ro'dd y Gymdeithas i gyd yn teimlo'n browd, ac wrth ein bodd yn gweld cymaint wedi dod i'n cefnogi ni. Ro'dd e'n deimlad gwahanol, rywsut. Teimlad fel aros am fore Nadolig a chael canmolieth 'da Syr yr un pryd. Ro'dd y ddaear yn teimlo'n gadarn dan fy nhraed i, a finne'n martsio i gadw'r ddaear honno'n saff.

Wedi i ni gyrraedd tu allan i'r neuadd fe ganon

ni'r anthem ac Elwyn Jones yn arwain. Ro'n i'n gweld sawl un â dagre yn eu llyged. Ro'dd fy llyged inne'n pigo hefyd. Pan agorwyd y dryse gwasgodd pawb i mewn i'r neuadd. Ro'dd hi'n orlawn.

Aethon ni ddim i mewn. Gafon ni ein hala 'nôl i'r ysgol. Ro'n i'n credu bod Syr dipyn bach yn fên, achos gollon ni'n hamser chware.

Sdim ots. Ymlaen â'r frwydr. Diolch, Dduw, am ddiwrnod da ac am gefnogaeth cymaint o bobol. Diolch hefyd bod y tywydd yn sych. Diolch i Dduw am bob peth. Nos da, Llangyndeyrn.

Dydd Iau, Mehefin 27

Dadi'n dweud taw dim ond dechre'r frwydr o'dd hi ddoe. Ro'dd hi'n bump o'r gloch y pnawn ar y cyfarfod yn dod i ben – bron yn amser godro – a ches i ddim cyfle i siarad 'da fe neithiwr.

Ro'dd bois Abertawe'n dishgwl yn eitha diflas. Do'dd 'da nhw ddim ateb i unrhyw gwestiwn. Fe wedodd un o'u bois nhw, '*This is the first time we've had an opposition*,' ac ro'dd llond neuadd yn chwerthin. So Dadi'n credu bod pobol Abertawe erio'd wedi gweld shwd gryfder. Rhaid aros nawr i weld a fydd y syrfeiyrs yn cael caniatâd i ddod i mewn i'r tir. Roedden nhw'n credu bod rhyw foi pwysig o'r enw Offord o blaid y ffermwyr, ond bydd y cyfan yn dibynnu ar y boi Syr Keith Joseph 'na.

Plîs, Dduw, gwna i Syr Keith Joseph weld ein safbwynt ni. Nos da, Duw, a diolch am bob peth. Nos da, Llangyndeyrn.

Dydd Gwener, Mehefin 28

Arolygydd o'r *Ministry* wedi bod ambyti'r lle yn dishgwl ar y tir. Ro'dd ysgrifenyddion yr FUW a'r NFU 'da fe, a rhyw beiriannydd o Abertawe.

Popeth yn O.K. wedodd Dadi, ond fi'n dal i fecso. Oes 'na noson yn mynd i ddod pan fydda i'n gallu mynd i gysgu heb fecso? Oes 'na noson yn mynd i ddod pan fydd y pentre bach 'ma fi'n ei weld, o ffenest fy ystafell wely, yn gallu diffodd ei oleuade gan wybod na fydd neb yn ei ddinistrio?

Nos da, Duw. Nos da, Llangyndeyrn.

Dydd Sadwrn, Mehefin 29

Cwrdd yn y Pencadlys. Mam Richard wedi gwneud bisgedi blasus i ni.

Wedi dechre trefnu ein carnifal bach. Yn y pnawn fydd e, rhwng cinio a godro. Fe gawn ni'r beirniadu yn y neuadd, ac mae mam Susan am brynu blode i'r beirniad. Mae rhai o'r oedolion wedi penderfynu ein cefnogi drwy wisgo lan hefyd. Dyna fydd sbri! Mae'n anodd iddyn nhw, gan fod cymaint ar eu meddylie, ond dyna beth yw cymdeithas glòs.

Pawb yn y pentre'n aros am ganlyniade'r ymchwiliad ddydd Mercher. Diolch i Dduw am bob peth. Nos da, Llangyndeyrn.

Dydd Gwener, Gorffennaf 5

Hanes yr ymchwiliad cyhoeddus yn fawr yn y *Journal* dan y pennawd 'FARMERS FEAR BORING PLAN'.

Fel mae Dadi'n weud, 'Wrth gwrs mae ofan arnon ni, ac fel wedodd Williams, Limestone, mae da cyflo yn ei gaeau fe ac os byddan nhw'n clywed y ffrwydrade fe fyddan nhw'n bwrw'u lloi. So Abertawe'n deall dim. Mae llo bach yn rhywbeth byw ac mae ganddo hawl i gael ei eni.'

Cweit reit, Dadi. Fi'n barod i adael ysgol Llangyndeyrn erbyn hyn, ac eto fi ofan. Mae'r dre'n lle mor fawr a phawb yn siarad Saesneg yno. Ydy pobol y dre fel pobol Abertawe? Ydyn nhw'n deall Llangyndeyrn?

Sa i'n siŵr. Sori, Duw, mod i'n gofyn am ryw fath o help bob dydd. Gobeithio bod dim ots 'da ti. Wedes i wrth Tad-cu mod i'n niwsans i Ti a wedodd e bod Ti wedi dweud, 'Gofynnwch, a rhoddir i chwi; ceisiwch, a chwi a gewch'. So, Duw fi'n cymryd Ti ar Dy air. Nos da, Dduw. Diolch am wrando. Nos da, Llangyndeyrn.

Dydd Mercher, Gorffennaf 17

So ni wedi cael dim gwair i mewn hyd yn hyn. Ro'dd Tad-cu'n dweud bod Panteg wedi gorfod llosgi gwair Cae Bont ac mae'n debyg y bydd sawl cae arall, ar fwy nag un ffarm, yn mynd yr un ffordd. Mae'n mynd i fod yn aeaf caled, ond falle na fydd dim ffarm ar ôl, na da i fwyta'r gwair.

Plîs Duw, beth sy'n digwydd? Nos da, a nos da Llangyndeyrn.

Dydd Mercher, Gorffennaf 24

Hon yw fy wythnos olaf yn ysgol Llangyndeyrn.

Heddi o'dd y diwrnod pan o'n ni i gyd yn cael dôs o rywbeth rhag ofan i ni gael polio. Mae polio'n rhyw dostrwydd ofnadw. Ro'n ni'n cael y moddion ar lwy. Do'dd e ddim yn gas, jyst yn felys iawn ac yn stici fel gwyn wy wedi'i guro 'da siwgwr. Ro'n nhw'n arfer ei roi fel chwistrelliad yn y fraich, ond mae'n well 'da fi ei gael fel hyn. Trueni na fydde rhywun yn gallu rhoi chwistrelliad o rywbeth i Jones Bach y Dŵr a'r Blodyn i'w stopio nhw rhag difa Llangyndeyrn!

Mae'n carnifal bach ni ddydd Sadwrn. So'r tywydd yn dishgwl yn dda. Rhagor o gaeau'n gorfod cael eu llosgi. Fydd dim mwyar eleni i Mam-gu wneud tarts a jam. Os na enillwn ni'r frwydr, bydd y perthi mwyar gore dan y dŵr. Sa i'n credu bydd rhai Llwyn y Frân dan y dŵr, ond shwd fi'n mynd i gyrraedd yno?

Popeth yn barod ar gyfer dydd Sadwrn – popeth heblaw'r tywydd. Duw, oes hawl 'da fi i ofyn am ddiwrnod ffein? Diolch ymlaen llaw. Nos da, Duw. Nos da, Llangyndeyrn.

Dydd Sadwrn, Gorffennaf 27

Mae Duw wedi ateb fy ngweddi. Do'dd hi ddim yn bwrw glaw, ac ro'dd pawb wedi cael sbri yn y carnifal. Ro'dd e fel diwrnod bant o'r becso.

Fe enilles i'r gystadleuaeth gwisg ffansi i blant, a Richard enillodd y gystadleuaeth addurno beic. Ro'dd cerdded drwy'r pentre at y neuadd yn deimlad da. Bron yr un teimlad â gorymdaith y brotest. Heb i ni wybod, ro'dd mamau aelodau'r Gymdeithas wedi trefnu pop a bisgedi i bawb. Wnaethon ni ddim ffortiwn, ond codon ni bum punt at y gronfa fawr ac ro'dd e'n ddiwrnod bant. Ro'dd pawb yn diolch i ni.

Sa i'n credu byddwn ni'n trefnu dim byd arall ar hyn o bryd gan fod pethau'n dwysáu.

Wedodd Llewelyn wrtha i mod i'n bertach fel Beca nag fel tiwb o Colgate!

Diolch i Dduw am bob peth. Nos da, Llangyndeyrn.

Dydd Llun, Gorffennaf 29

Pennawd mawr yn y *Western Mail* heddi a llun o Langyndeyrn – arwyddbost y pentre, y Vicarage, y neuadd, yr eglwys, y Llandre a'r hewl lan am Grwbin.

BITTER BATTLE BEFORE THE FLOOD

Pwy sy'n dweud y bydd *flood*? Mae'r adroddiad yn dweud y bydd yn rhaid inni fyw 'da wal wyth deg troedfedd o'n blaenau. Mae'r Blodyn yn dweud, 'It will be like another grassy bank'. Mae'n siarad drwy'i het. *Grassy bank* yn dal 4,900 miliwn galwyn o ddŵr yn ôl! Pwy sy'n mynd i allu byw 'da'r shwd beth? Beth sy'n mynd i ddigwydd os bydd twll yn y wal? Pwy sy'n mynd i ishte fel y boi bach yn yr Iseldiroedd gynt â'i fys yn y twll? Shwd mae rhai ohonon ni'n mynd i fyw heb ein cartrefi? Shwd mae rhai ohonon ni'n mynd i fyw heb ein tade'n gweithio?

Fel dwedodd y Parch W. M. Rees, gwastraff arian llwyr fydde cynnal arolwg o'r tir, achos does dim un ffermwr yn mynd i adael i'r un syrfëwr roi troed ar eu tir.

Duw, diolch am asgwrn cefn ffermwyr Llangyndeyrn a chefnogaeth pawb arall. Nos da, Duw. Nos da, Llangyndeyrn.

Dydd Mawrth, Gorffennaf 30

Do, fe gafon ni i gyd newyddion drwg heddi. Daeth amlen i bob ffermwr a'r llythrenne OHMS ar bob un. Mae'r Syr Keith Joseph yna wedi rhoi hawl i Abertawe archwilio a thyllu'n tir ni.

Mae Tad-cu'n dweud bod Joseph wedi troi meddwl y boi Offord 'na. Ro'dd Offord 'da ni, yn y dechre. Sa i'n hoffi'r Syr. Mae cyfarfod brys wedi'i alw nos fory. Does neb yn hapus heno. Neb whant bwyd ac mae hyd yn oed y da'n gwybod bod rhywbeth yn bod. Maen nhw'n dishgwl yn fwy trist nag arfer, ac wedi rhoi llai o laeth. Fi wedi gofyn i Dadi alla i fynd i'r cyfarfod nos fory, ond dwedodd e, 'Na'.

Wedyn ffonies i Buddug ac mae'r neges wedi mynd 'mlaen o un i'r llall, yn ôl y drefn. Fyddwn ni ddim yn y cyfarfod, ond byddwn ni'n cwato ar bwys y toilede, ac os bydd drws y bac ar agor fe awn ni mewn i wrando o'r pasej ar bwys y llwyfan. Os na fydd e, falle glywn ni rywbeth o'r *porch*.

Sori, Duw, ni'n mynd i fod yn sbïwyr. Nos da, Duw. Nos da, Llangyndeyrn.

Dydd Mercher, Gorffennaf 31

Do, fe glywon ni dipyn. Ro'dd drws y bac ar agor ac roedden ni'n gweddïo na fydde neb o'r cyfarfod yn moyn mynd i'r tŷ bach neu fe fydden nhw wedi'n gweld yn y pasej. Roedden ni'n becso mewn un man achos ro'dd yn rhaid i Huw binsio'i drwyn gan ei fod e'n moyn twsian. Wnaeth e ddim. Doedden ni ddim yn gallu cyfri faint o'dd yn y cyfarfod, ond wedodd Dadi wedyn bod dau ddeg dau.

Glywon ni William Thomas yn dweud taw dyma ddechre'r frwydr. Ro'dd rhai ffermwyr yn dechre ame ond ro'dd y gweddill yn sefyll yn gadarn. Wedodd Harry Williams, Panteg, ei fod e'n meddwl rhoi rhwystre ar yr hewl i atal pobol rhag mynd i mewn i'w dir, cloi'r gatie a rhoi weiren bigog arnyn nhw. Ro'dd sawl un yn hapus i wneud yr un peth, ac maen nhw'n fodlon wynebu carchar os bydd raid.

Pan glywon ni hyn, gafaelodd Buddug a fi yn nwylo'n gilydd. So ni'n moyn i dad na thad-cu yr un ohonon ni fynd i'r carchar.

Wedyn wedodd y Parch Alun Williams bod yn rhaid i bopeth fod yn ddi-drais. Sa i'n siŵr beth mae hynny'n olygu.

Sleifion ni gartre jyst cyn y diwedd, ond roies i 'nhroed ynddi wrth ofyn i Dadi beth oedd ystyr 'di-drais'. Wps!

Ches i ddim stŵr. Eglurodd e'n iawn i fi, sef bod neb yn pwno neb nac yn peryglu bywyd neb. 'Ar hyn o bryd, Beca, mae penderfyniad Llangyndeyrn yn y plant hefyd. Dalia 'mlaen i gadw dy dreftadaeth. Dalia 'mlaen i warchod yr hyn ni'n frwydro amdano nawr. Tir, bywoliaeth, iaith a ffordd o fyw. Gwinllan a roddwyd i'n gofal.'

Ysgrifennodd Mami beth wedodd e i lawr yn glou tra o'dd Dadi'n siarad.

'Beca, mae hwnna'n werth ei roi yn dy ddyddiadur,' wedodd hi.

Duw, mae'r frwydr yn dod yn nes. Help. Sori dy fod Ti heb allu gwneud llawer ambyti'r tywydd, ond dyna fe. Mae'n anodd, hyd yn oed i Ti, blesio pawb. Nos da am heno. Nos da, Llangyndeyrn.

Dydd Sul, Awst 4

Dadi'n dweud hanes wrthon ni heno ro'dd y Parch W. M. Rees wedi'i ddweud wrtho fe.

Pwy ddiwrnod ro'dd y Parch yn mynd lan i'w ardd, ac ro'dd William Thomas wedi aros i gael *chat* 'da fe. Daeth Land Rover, 'da Jones Bach y

Dŵr a rhyw foi arall ynddo, o gyfeiriad Caerfyrddin a stopio ar y sgwâr. Ro'dd rhyw rowlie o bapure gwyn 'da nhw ac ro'dd golwg bwysig ar y ddau. Aeth y ddau i mewn i'r Llandre. Aeth y Parch i'r tŷ ac aeth William Thomas i weud wrth gwpwl o ffermwyr. Aeth Jones Bach y Dŵr a'i fêt i'r mans a gafon nhw fynd mewn am ddishgled.

Wedi holi a stilio, wedodd y Parch wrthon nhw'n strêt bod Llangyndeyrn yn mynd i fod lawer mwy anodd na Thryweryn. Yn Nhryweryn, pobol o'r tu fas oedd yn cadw stŵr ond, yn Llangyndeyrn, ni'n hunen sy'n benderfynol.

Daeth William Thomas i mewn a wedodd yntau'r un peth. So Llangyndeyrn yn mynd i roi mewn. Mae Abertawe'n dechre gweld ein seis.

Aethon nhw'n ôl sha thre â'u cwt rhwng eu coese.

Diolch, Duw, am wneud Llangyndeyrn mor benderfynol. Ni'n mynd i gadw'n gwinllan. Nos da, Llangyndeyrn.

Dydd Sul, Awst 11

Mae'r Royal Welsh wedi bod ers ache, ond ro'dd y rhan fwyaf ofan gadael Llangyndeyrn rhag ofan i Abertawe ddod i mewn a neb yma. Mae'r Eisteddfod

Genedlaethol wedi bod hefyd. Yn Llandudno o'dd hi eleni, ond aeth neb o fan hon ar gyfyl y lle. Ni mewn carchar yn ein pentre'n hunen.

Eleni, mae Sioe y Tair Sir yn dathlu hanner can mlwyddiant mewn safle parhaol newydd yn Nant y Ci. Fydd yna Langyndeyrn i fynd yno yn y dyfodol?

Mae Mami wedi dweud bod yn rhaid i ni'n dwy fynd i Gaerfyrddin cyn hir i chwilio am ddillad ysgol i mi – sgert nefi, blowsen streipie coch a gwyn, a siwmper goch. So Buddug yn hapus achos bydd coch yn clasio 'da'i gwallt. Ydw, fi'n dishgwl ymlaen ac eto mae pethe mwy pwysig ar fy meddwl.

Mae blode Mam-gu'n dod yn dda yn yr ardd, ond fydd hi'n gallu gwneud yr un peth flwyddyn nesa? Mae hi'n becso nawr am y coed fale. Maen nhw wedi bod yma ers cenedlaethe, ond nawr falle byddan nhw'n cael eu boddi. Mae pawb yn becso am rywbeth. Fel mae Tad-cu'n ddweud, 'Pawb â'i fys lle mae'i ddolur'.

Sa i'n cael amser i wneud dim yn iawn. Fi'n ffaelu canolbwyntio, hyd yn oed ar ddarllen llyfr. Mae'n meddwl i'n troi o hyd ac o hyd at ble fyddwn ni i gyd amser hyn flwyddyn nesa. Ydyn ni i gyd yn mynd i gael ein gwahanu? Ydy Dadi'n mynd i fod mas o waith? Fydd ein ffordd ni o fyw yn cael ei chwalu? Oes unrhyw un yn mynd i fod ar ôl yn Llangyndeyrn? Ydy'r eglwys yn mynd i fod yn wag am y tro cyntaf ers y chweched ganrif? Ydy Abertawe'n bwysicach na ni?

Plîs, Duw, wyt ti'n gallu ateb y cwestiyne hyn? Diolch ymlaen llaw, ond os wyt ti'n fishi fi'n deall yn iawn. Nos da, Duw. Nos da, Llangyndeyrn.

Dydd Sadwrn, Awst 17

Gafon ni gyfarfod arall heddi. Ro'dd Susan yn dweud bod Llangyndeyrn fel lle adeg rhyfel. Mae Huw yn hoffi ffilmiau rhyfel, ac ro'dd e'n dweud bod bron cymaint o weiren bigog yn Llangyndeyrn nawr ag o'dd yna adeg y rhyfel.

Gafodd Susan stŵr gan ei mam, ac nid arni hi o'dd y bai. Oherwydd y weiren bigog a'r peirianne i gadw Abertawe mas, ro'dd yn rhaid iddi ddringo dros gât i fynd at ei mam-gu, a rhwygodd ei sgert ar y weiren bigog.

Rhwng y tywydd a phopeth mae'n ddiflas iawn yma. So Huw heb ddala dim byd o werth i ni gael picnic arall.

Fi'n credu mod i wedi ysgrifennu lot o ddwli dibwys heddi, ond fel 'na fi'n teimlo. Mae'r pentre fel petai'n aros i rywbeth mawr ddigwydd.

Nos da, Duw. Nos da, Llangyndeyrn.

Dydd Mercher, Awst 21

Wedi bod 'da Mami'n y dre yn prynu dillad ysgol, dillad ymarfer corff, *satchel*, câs pensilie a rhyw bethe od ar gyfer *geometry*.

Sa i'n siŵr ydw i'n dishgwl ymlaen neu beidio. So Buddug wedi cael ei phethe hi eto.

Duw, gobeithio y galla i setlo yn yr ysgol newydd, ac y bydda i'n gallu gwneud fy ngore. Mae'r *geometry* 'na yn dishgwl yn beth od. Pam wnest ti greu shwd beth? Nos da, Duw. Nos da, Llangyndeyrn.

Dydd Llun, Medi 2

Wel, wedi treulio diwrnod yn y Queen Elizabeth Grammar School for Girls. Jiw, maen nhw'n posh yna! Sa i'n credu bod neb yno'n siarad Cymraeg. Mae llond gwlad o reole i'w dysgu. Ro'dd ysgol Llangyndeyrn mor gartrefol.

Fel mae Tad-cu'n ddweud, 'Gwna'n fawr o dy gyfle'. Fe wna i 'ngore. Ond jiw, rhwng gorfod cael brecwast yn gynt i ddal y bws a bwyta fy nhe'n hwyrach o lawer, ro'n i'n starfo. Mae'r cinio'n O.K. ond so fe hanner cystal â chinio Mrs Adams.

Mae'n deimlad od, wedi cael diwrnod cyfan mas o Langyndeyrn a gwybod bod yn rhaid mynd mas oddi yma fory eto. Fi ond yma i gysgu nawr. So pethe byth yn mynd i fod yr un fath eto. Os bydd Llangyndeyrn yn cael ei foddi, fe fydda i fwy ar goll nag o'n i'n feddwl. Fydda i ddim yn perthyn i unman. Nos da, Duw. Diolch am bob peth. Diolch am y cyfle, ond y cyfle i beth sa i'n siŵr. Nos da, Llangyndeyrn.

Dydd Sadwrn, Medi 14

Wedi bod yn Sioe Llandyfaelog heddi, yng nghaeau'r Red Lion. Wnes i fwynhau.

Y cadeirydd eleni oedd Gerwyn Rees, Gelli. Ro'dd popeth yno, fel arfer – ceffyle, da, barnu stoc, cŵn. Mae'r frigâd dân yno bob blwyddyn, ac wrth gwrs mae stondin 'da'r NFU a'r FUW, undebe'r ffermwyr.

Ro'dd cyngerdd gyda'r nos, ond es i ddim i hwnnw. R'odd gwaith cartref 'da fi i orffen.

Buon ni, aelodau'r Gymdeithas, yn cerdded ambyti 'da'n gilydd. Yn rhyfedd iawn, do'dd dim byd swyddogol yno ambyti'r boddi. Mae Llandyfaelog yn ffodus – maen nhw'n saff.

Nos da, Duw. Nos da, Llangyndeyrn.

Dydd Mercher, Medi 18

Mae pethe'n digwydd yma unwaith eto. Fe gafodd y ffermwyr i gyd lythyre heddi'n dweud y bydd Abertawe'n dod i'r ffermydd ar yr ugeinfed, dydd Gwener. Does fawr ddim rhybudd. Buodd y Pwyllgor Amddiffyn yn cwrdd yn y neuadd, a heno fe benderfynon nhw pwy fydde'n mynd i'r carchar. Wedodd Dadi ddim pwy, ac ro'n i ofan gofyn. Mae rhai eraill yn mynd i dalu dirwy oherwydd eu bod nhw'n dost, neu am resyme teuluol.

Duw, mae'n argyfwng yma. Help! Nos da, Duw. Nos da, Llangyndeyrn. Sa i'n siŵr alla i gysgu. Fi'n mynd i drio meddwl am bethe neis.

Dydd Gwener, Medi 20

Wedodd Mam-gu wrtha i bopeth ddigwyddodd heddi.

Erbyn hanner awr wedi deg y bore 'ma ro'dd William Thomas a'r Parch Alun Williams wrth gât Glanyrynys. Mae'r gât yn sownd ers ache 'da tsaen fawr gref, ac mae offer yn llanw'r bwlch hefyd. Aeth y Blodyn lan atyn nhw, ond gwrthododd Dewi Thomas, Glanyrynys, adael iddo fynd i mewn.

Wedyn, triodd y Blodyn roi darn o bapur iddo'n dweud eu bod nhw wedi gwneud cais i gael gwarant gan ynadon Caerfyrddin i fynd i mewn. Chymerodd Dewi mo'r papur.

Trodd pethe'n gomic yn y Llandre hefyd. Wrth i'r Blodyn wthio'r papur dan y drws, ro'dd Morina'r Llandre'n ei wthio'n ôl. Do'dd hi ddim yn fodlon derbyn yr un papur.

Allt y Cadno oedd y bwgan, yn ôl Mam-gu, gan taw tenant ydy Eirwyn Davies; ro'dd y Blodyn yn bwriadu mynd yno am hanner awr wedi deuddeg. Ro'dd yn rhaid gwneud rhywbeth ar frys.

Aeth criw o ffermwyr i'r dre i swyddfa John Francis a bygwth na fydde'r un ffermwr o Langyndeyrn yn gwerthu'i stoc ym mart Caerfyrddin o hyn ymlaen oni bai bod gan Eirwyn Allt y Cadno hawl i wrthod i'r Blodyn fynd ar ei dir.

Aeth y dyn yn y swyddfa mas yn ei natur, a do'dd gan yr un o'r ffermwyr syniad beth o'dd yn mynd i ddigwydd. Ond fe weithiodd y cynllun, ac fe gafodd Eirwyn yr hawl i atal y Blodyn rhag mynd i Allt y Cadno.

Pan gyrhaeddodd y ffermwyr 'nôl i Allt y Cadno, ro'dd y Blodyn a'i Chwyn ar fin gadael â gwên ar eu hwynebau. Roedden nhw'n meddwl eu bod wedi ennill.

Fe wedodd bois Llangyndeyrn wrth Eirwyn beth o'dd wedi digwydd yng Nghaerfyrddin, a wedodd e wrth fois Abertawe, 'I'm not giving you permission to enter my land'.

Doedden nhw ddim yn cael rhoi troed ar ei ddaear e. Buddugoliaeth fach arall.

Diolch, Duw. Nos da. Nos da, Llangyndeyrn.

Wedi trefnu i gwrdd yn y Pencadlys fory.

Dydd Sadwrn, Medi 21

Dim byd mawr i'w drefnu heddi, jest rhyw deimlad o hiraeth am fod 'da'n gilydd. Mae'n od, wedi bod 'da'n gilydd drwy'r dydd bob dydd am flynydde, ry'n ni nawr ar wahân. Falle'n bod ni'n teithio ar yr un bws, pawb ond Martin, ond dy'n ni ddim 'da'n gilydd yn ystod y dydd. Mae plant gwahanol ac athrawon gwahanol 'da ni, a does dim llawer yn gyffredin rhyngddon ni nawr – dim ond yr awydd i gadw Llangyndeyrn yn saff. Wrth lwc, mae Martin wedi setlo yn ei ysgol newydd ac i weld yn cael sbri.

Aethon ni ar ein patrôl. Gyda'r gatie wedi'u cadwyno a'r offer yn llenwi pob bwlch, mae'r lle'n debyg i faes y gad. 'Fel Ffrainc adeg y rhyfel mawr,' wedodd Tad-cu. Sa i'n siŵr sut mae'n gwybod, achos fuodd e erio'd yn Ffrainc nac yn y rhyfel. Sa i'n credu bod Tad-cu wedi bod lawer pellach nag Abertawe. Sa i'n moyn mynd ymhellach nag Abertawe chwaith. Os bydd Llangyndeyrn i gael, dyma ble fi'n moyn aros.

Nos da, Duw. Diolch am bob peth. Nos da, Llangyndeyrn.

Nos Fercher, Medi 25

Roedd cyfarfod o'r pwyllgor yn Festri Bethel heno, ar gyfer y ffermwyr sy dan fygythiad. Maen nhw'n mynd i gael cyfreithwyr nawr ar gyfer achos yn llys yr ynadon yng Nghaerfyrddin ar Hydref 11. Sa i'n siŵr iawn beth yw ystyr hyn – rhaid i mi holi.

Mae Dadi'n dweud bod Abertawe wedi'n twyllo ni. Maen nhw wedi ymestyn eu cynllunie yng Nglanyrynys a Limestone. Os bydd y dŵr yn cyrraedd clos y ffermydd, bydd y ffermdai'n cael eu cau i mewn. Shwd gallen nhw fynd i mewn a mas ohonyn nhw wedyn? Ble maen nhw'n mynd i fyw? Mae'r pentre a'r ardal gyfan yn ferw ac yn paratoi ar gyfer llys yr ynadon. Bydd y pwyllgor nesa yn y Neuadd ar Hydref 8.

Mae yna ryw si am orymdaith yng Nghaerfyrddin, ar ddiwrnod yr achos llys. Y drwg yw taw dydd Gwener fydd hi. Ysgol? Gawn ni weld!

Nos da, Duw. Nos da, Llangyndeyrn.

Dydd Llun, Medi 30

Heddi, daeth John Roberts Williams o'r BBC i Banteg i holi Harry, Rosie a Hugh ar gyfer *Heddiw*. Wedodd Tad-cu 'u bod nhw wedi cael chweugain yr un am wneud. Mae pethe'n twymo.

Dydd Sadwrn, Hydref 5

Ro'dd Eisteddfod Gadeiriol Llanddarog heddi. Fuon ni ddim eleni. Mae pawb fel petaen nhw ofan gadael y pentre. Ro'dd cadair i'w hennill ac 18 o gwpane. Sa i'n gwybod pwy enillodd ddim byd.

Diolch, Duw, am steddfode a phopeth sy'n perthyn i ni. Sgwn i ydy Abertawe'n cael steddfod? Nos da Duw, a nos da Llangyndeyrn.

Dydd Sul, Hydref 6

Yn yr eglwys bore 'ma ac ym Methel a Salem fe gafon ni i gyd ein rhybuddio bod brwydr o'n blaene a'n bod i gadw'n llyged ar agor am 'Ladron dŵr Abertawe'. Mae gan y pwyllgor gynllunie'n barod i ddelio â'r lladron. So ni'r Gymdeithas yn gwybod beth ydyn nhw. Yr unig beth ni *yn* wybod yw y bydd popeth yn digwydd yn ddi-drais ac y bydd Jack Smith yn canu cloch yr eglwys i alw pawb at ei gilydd pan ddaw'r gelyn. Fe yw 'angel gwarcheidiol y pentre', yn ôl Tad-cu.

Diolch, Duw, am bawb sy'n gwarchod Llangyndeyrn. Nos da, Duw. Nos da, Llangyndeyrn.

Nos Fawrth, Hydref 8

Heno, ro'dd cyfarfod cyhoeddus yn y Neuadd. Fi wedi blino'n dwll ond rhaid i mi roi'r hanes i lawr. Roedden ni, aelode'r Gymdeithas, wedi mynd i mewn i eistedd yn y cefn. So'r clocie wedi troi 'nôl eto ond mae'n rhy dywyll i gerdded yn ôl a 'mlaen ar fy mhen fy hun, felly ges i fynd 'da Dadi. Maen nhw am ofyn i holl gapeli ac eglwysi Cymru ein cefnogi a hefyd am drefnu gorymdaith drwy

Gaerfyrddin, ar ddiwrnod Llys yr Ynadon. Maen nhw'n mynd i gerdded o'r farced, lan drwy Heol Mansel i Heol Awst ac i lawr i'r llys. Ar ôl i'r llys ddod i ben, cerdded ar draws Heol y Brenin, i lawr Heol Dŵr Fach ac yn ôl i'r farced. Mae David Smith yn trefnu bws i gario pawb a'u baneri i'r dref. Penderfynon ni heno ein bod ni'n mynd ar y bws ysgol fel arfer, ond ddim yn mynd i mewn i'r ysgol. Fydd Martin ddim yn gallu dod achos mae ei fws e'n mynd i'r cyfeiriad arall. Byddwn ni'n cwrdd yn y Pencadlys y dydd Sadwrn canlynol i ddweud yr hanes wrtho ar ôl i ni i gyd gael stŵr!

Sori, Duw, ein bod ni'n mynd i sgeifio ond fydden ni ddim yn gallu gwrando na gwneud dim yn yr ysgol y diwrnod hwnnw. Diolch, Duw, am ddewrder Llangyndeyrn ac am gefnogaeth pawb arall. Nos da, Duw. Nos da, Llangyndeyrn.

Dydd Gwener, Hydref 11

Do, fe aethon ni ar y bws, a chalon pawb yn ei wddf. Beth petai'r *whipper-in* yn ein gweld? Wnaeth e ddim. Doedden ni ddim i gyd 'da'n gilydd. Mae ysgol y bois yn y dre, ond mae gwaith cerdded 'da ni'r merched. Aethon ni oddi ar y bws, cwato mewn cae yn Nhre Ioan am ychydig rhag ofan i ryw athrawes yrru heibio, ac wedyn cerdded yn hamddenol drwy Dre Ioan i gyfeiriad y dre. Ro'dd ein calonne'n curo'n wyllt. Aethon ni i gyfeiriad y farced a thrio cwato yn y crowd. Elwyn Jones, PC Davies a Mr Thomas, Coedwalter, oedd yn trefnu pethe.

Sleifion ni draw at y Guildhall ac ro'dd cannoedd o bobol yno. Ro'dd pawb i weld yn ein cefnogi ac ro'n i mor browd o bobol Llangyndeyrn. Pawb wedi gwisgo'n deidi ac yn cerdded yn dawel yn cario'u baneri, y dynion ar y blaen a'r merched yn y cefn. Roedden ni'n gallu clywed pobol yn siarad, a phawb yn cydymdeimlo.

Wel, pawb ond yr ynadon. Fe gollon ni. Mae Abertawe wedi'n maeddu ni y tro hwn. Oes, mae 'da'r Blodyn a'i Chwyn hawl i fynd ar ein tir ni.

Ydy, mae Dadi'n drist, a Tad-cu a phawb arall. Ond dim ond dechre mae'r frwydr. Mae'r gatie wedi'u cloi, y peirianne trymion yn y bylchau a phawb ar eu gwyliadiwraeth. Pawb yn aros am y saith dyn ddaw i mewn i'r pentre. Mae'r gwylwyr yn gwarchod, a Jack Smith yn barod i redeg i'r eglwys i alw pawb i'r gad. Mae Dadi a Mami'n gwybod ein bod wedi sgeifio, ond ches i ddim stŵr. Mae Mami wedi addo ysgrifennu llythyr drosta i, Buddug a Susan, i egluro i'r ysgol pam ein bod yn absennol. Mae tad Ken am wneud yr un peth dros y bois.

Diolch, Duw, am bobol ffein. Oes rhywbeth arall allwn ni wneud? Nos da, Duw. Nos da, Llangyndeyrn.

Dydd Sadwrn, Hydref 12

Buon ni i gyd ar patrôl lan a lawr y pentre, mwy neu lai drwy'r dydd. Aethon ni cyn belled ag Allt y Cadno, lan at y Wern a Limestone. Wedyn draw cyn belled â Nant yr Arian, heibio Penplwyf a hyd at Lanyrynys. Aethon ni â brechdane 'da ni i ginio, a phrynu crisps yn siop Dai. Ro'dd hi'n sbri, pawb yn bwyta gyda'i gilydd yn y Pencadlys. Fe wnaethon ni ystyried mynd 'da'n gilydd i weld *Billy Liar* yn y Lyric. Mae Julie Christie, Tom Courtenay, Wilfred Pickles a Finlay Currie yn actio ynddo fe. Mae *cinemascope* yn y Lyric. Ond ro'dd ofan arnon ni y bydde rhywbeth yn digwydd a ninne bant.

Mae Martin yn dwlu ar ganu pop a roc, ac ar hyn o bryd dyw e'n gallu siarad am neb na dim ond y Beatles. Welodd Mam-gu lun ohonyn nhw pwy ddiwrnod ac ro'dd hi'n meddwl taw nhw yw'r cryts rhyfedda mae hi wedi'u gweld erio'd.

'Mae'r byd 'ma'n dod i rywbeth,' wedodd hi, â golwg syn ar ei hwyneb, 'pan mae cryts â gwallt fel crotesi! Sa i'n deall bod eu mame nhw'n gadel iddyn nhw fynd mas wedi gwisgo fel maen nhw.' Fi'n credu eu bod nhw'n grêt. Maen nhw ar y *London Palladium* nos fory. 'Beatlemania' mae Martin yn galw'r peth. Fi'n mynd i drio cael record o rywle.

Mae 'na lot o amser cyn Nadolig!

Nos da, Duw. Diolch am heddi – Blodyn a'i Chwyn heb ddod. Nos da, Llangyndeyrn.

Nos Lun, Hydref 14

Chafon ni ddim stŵr yn yr ysgol. Fe wedodd un athrawes wrtha i – dyw hi ddim yn fy nysgu i – 'Pob lwc i chi yn Llangyndeyrn.' Ro'dd hi'n siarad Cymraeg, a do'dd gen i ddim syniad cyn hynny!

Heddi, yn ôl Mami, bu bois Teledu Cymru yn ffilmio'r ffermwyr wrth y gatie. Ro'dd y rhaglen ar y teledu heno, ond does neb yn Llangyndeyrn yn gallu derbyn y sianel! Buodd y BBC yn holi'r Parch W. M. Rees. Ni'n dod yn bwysig. Falle bod William Thomas yn broffwyd, achos fe wedodd e y bydde pawb yn gwybod am Langyndeyrn cyn hir. Mae pawb yn gwybod amdanon ni erbyn hyn.

Diolch am help pawb. Diolch, Duw, a nos da. Nos da, Llangyndeyrn.

Nos Iau, Hydref 17

ITV wedi bod yn ffilmio bore heddi ac yn holi rhai o'r ffermwyr. Mae'n anodd credu bod dynion Llangyndeyrn ar y teledu fwy nag unwaith yn ddiweddar.

Buodd boi'r *Times* – '*Times* Llunden, nid un Caerfyrddin, cofia di,' oedd geirie Tad-cu, yn holi'r Parch W. M. Rees yn ei gartre drwy'r prynhawn. Sgwn i sawl dishgled o de wnaeth Mrs W. M. druan!

Mae pawb ar bige'r drain, ond yn ffyddiog. Dyna air mawr Mam-gu y dyddie hyn – ffyddiog.

Diolch, Duw, am bob peth ac am fod pawb yn ffyddiog. Nos da. Nos da, Llangyndeyrn.

Nos Sadwrn, Hydref 19

Mae'r dyddiau'n tynnu i mewn. Ymhen wythnos fe fyddwn yn troi'r cloc unwaith eto ac wedyn bydd yn aeaf. Gobeithio y caf weld gwanwyn arall yn Llangyndeyrn. So'r dre yn cael gwanwyn go iawn fel mae'r wlad yn ei gael.

Rhagor o ymwelwyr pwysig yn y pentre heddi. Dynion o'r *Guardian*. Mae hwnnw'n bapur pwysig hefyd, yn ôl Mam-gu. Roedden nhw yn y Banc yn holi William Thomas, y Parch W. M. Rees a Hugh Williams, Panteg. Wedodd un o'r newyddiaduron wrthyn nhw bod y Blodyn wedi dweud wrtho fe eu bod nhw'n dod i mewn i Langyndeyrn wythnos nesa.

Aeth Mami a Mam-gu i gyngerdd yn Ebeneser, Crwbin, heno ac ro'dd y Parch W. M. Rees yno yn gofyn i'r Parch G. Harries, gweinidog Crwbin, gyhoeddi bod bois Abertawe'n bwriadu dod yr wythnos nesa. Ro'dd yn gofyn iddyn nhw fod yn barod. Mae'r frwydr yn nesáu.

Mae Dadi a Tad-cu a sawl ffermwr arall wedi bod yn brysur yn peintio polion yr un lliw â pholion y Chwyn. Wedyn, pan ddaw'r Chwyn i osod eu hen bolion yn ein daear ni, fe fyddwn ni'n gosod ein polion ni 'da nhw i wneud cawl pots o bopeth.

Nos da, Duw, a plîs bydd 'da ni. Diolch am bob peth hyd yn hyn. Nos da, Llangyndeyrn.

Dydd Sul, Hydref 20

Sa i'n credu bod neb yn eglwys Sant Cyndeyrn, ym Methel na Salem wedi gweddïo mor galed â heddi. Mae'r pentre i gyd yn rhyw dawel ofnus. Sa i'n credu bydd neb yn Llangyndeyrn yn cysgu heno.

Newydd ddod 'nôl i'r gwely ar ôl bod yn sefyll wrth y ffenest. Mae'r pentre'n dishgwl mor dawel, a'r sêr yn dal i wincio fel petai dim byd yn bod.

Nos da, Duw. Fi'n canu'r emyn, 'Cofia'n gwlad benllywydd tirion', yn dawel yn fy meddwl.

Nos da, Llangyndeyrn.

Wedi deffro 'da'r ffôn yn canu. Arwyn Richards o'dd yna. William Thomas a'r Parch W. M. Rees wedi bod lan ers pump, rhag ofan i Abertawe gyrraedd yn slei bach. Galwodd dyn teledu o'r enw Frank Bevan 'da'r Parch. W. M. Rees a dweud bod Abertawe ar y ffordd. Mae Arwyn yn ffonio rownd ac mae pawb yn mynd i wneud eu ffordd i lawr i sgwâr y neuadd.

Fi'n ffaelu stopo llefen. Mae Mami'n dweud bydd popeth yn iawn. Mae Jack Smith yn mynd i ganu'r gloch angladd am ddeg munud cyfan ac mae Aldred Thomas, Capel, o gwmpas y lle ar ei foto-beic yn sgowtio'n barod. Shwd fi'n mynd i allu mynd i'r ysgol?

Dydd Llun, Hydref 21

Mae heddi wedi dod ac wedi mynd. Roedd e'n ddiwrnod cyffrous ac, yng ngeiriau Tad-cu, 'Tyngedfennol i'n pentre bach ni'.

Fe drechon ni Abertawe. Fe faeddon ni'r Blodyn a'i Chwyn. Nhw, 'da'u car mawr du, landrovers, lorïau'n cario offer drilio anferth a chraen enfawr. Rheina i gyd yn aros, yn gwylio'n fygythiol filltir a hanner tu allan i'n pentre bach ni; gwylio a chwilio am 24,000,000 galwyn o ddŵr.

Gadawyd pob tŷ a phob ffarm unwaith y daeth Aldred Thomas yn ei *feret* glas, ar ei hen foto-beic, i ddweud eu bod ar eu ffordd yno. Rhuthrodd Jack Smith o'r post, ar draws y sgwâr a fyny i'r eglwys i ganu'r gloch. Dyna'r sŵn mwyaf iasoer glywais i erio'd. Cloch yr eglwys yn canu cnul am ddeg munud. Ych!

Mae pinne bach drosta i nawr wrth ddychmygu'r sŵn. Ro'dd gweld y gelyn yn dod i mewn i'r pentre a'n plismon ni, PC Lewis, yn gorfod eu harwain i mewn yn brofiad dychrynllyd, yn ôl Mam-gu.

Sgwâr y neuadd yn llawn ond yn berffaith dawel ar wahân i sŵn y gloch. Ond do'dd gan holl rym Abertawe ddim gobaith yn erbyn cadwyni trwchus yn cloi gatie, offer trymion yn cau pob bwlch, a ffermwyr Llangyndeyrn yn sefyll fel un wrth bob gât a phob gwraig yno'n eu cefnogi.

Fe ges i'r hanes i gyd gan Mami a Mam-gu. Pan ddaeth y confoi i mewn i'r pentre, ffaelodd Dewi Glanyrynys, o'dd wedi dod lawr i'r sgwâr, gael hyd i allwedd ei gar i fynd lan i Lanyrynys, gan mai yno roedden nhw'n mynd gyntaf. Wrth lwc, gafodd e lifft lan 'da Aldred ar gefn yr hen foto-beic a phasio'r confoi! Petai wedi mynd yn ei gar, fydde fe ddim wedi gallu pasio'r confoi ar yr hewl gul a bydde Abertawe wedi bod yno o'i flaen.

Cafodd hyd i'r allwedd yn y car heno! Bu Abertawe yn ddigon haerllug i drio llifio drwy gadwyn fawr Glanyrynys! Dyw pobol y dre'n deall dim. Fe ffaelon nhw.

Wedyn drion nhw symud yr *elevator* o'dd yn blocio'r bwlch i Cae Mawr. Dyna o'dd sbri, meddai Mami. I ddechrau triodd Abertawe lifio'r cadwyni o'dd am yr olwynion ond fethon nhw. Fe dynnodd y ffermwyr yr olwynion a'r echel i ffwrdd a chwmpodd yr *elevator* yn blwmp i'r mwd. Do'dd dim posib ei symud. Roedden ni'n benderfynol o beidio â'u gadael i mewn.

Wedyn, cafodd Abertawe lond côl o ofan pan welon nhw wellt yn cael ei daenu ar y llawr. Roedden nhw'n credu bod ni'n mynd i ddefnyddio tân i'w cadw mas. Doedden nhw ddim yn deall y dull di-drais. Ro'dd llawer o heddlu yno ond do'dd mo'u hangen. Dim yn Llangyndeyrn O, do, bu'n rhaid i'r Blodyn a'i Chwyn droi'n ôl. Chafon nhw ddim mynd i mewn i'r un ffarm.

Pan ddaethon ni sha thre ro'dd popeth mwy neu lai drosodd. Aeth rhai plant at gât Panteg, ond doedd Abertawe ddim wedi bod yno. Do'dd dim pwynt. Yn ôl Mami, geirie ola'r Blodyn wrth fynd oedd, 'We'll be back'.

Ond os daw e, yr un fydd yr hanes. Ni i gyd 'da'n gilydd. Wedodd Tad-cu heno taw mewn undod mae nerth.

Am nawr ni'n gallu dathlu, ond byddwn ar ein gwyliadwriaeth am amser maith.

Duw, diolch am heddi. Diolch am bob peth. Plîs paid â gadael i'r Blodyn ddod yn ôl. Gobeithio bod y Frwydr Fawr ar ben.

Dyma ddyddiadur Beca o'r Frwydr Fawr i achub y cwm, 1963, i'r rhai fydd yn ei dilyn yn Llechwedd ac yn holl ffermydd Llangyndeyrn. Fi'n ffyddiog y bydd Glanyrynys, Ynysfaes, Torcoed Isa, Panteg, Y Wern, Limestone, Allt y Cadno a Llandre'n dal yn cael eu ffermio, y bydd yr Eglwys, Salem a Bethel yn dal i fod a'r ysgol yn dal i ddysgu plant y dyfodol.

Mai 28, 2009

Dyma falch ydw i mod i wedi cael hyd i'r hen ddyddiadur yma ym mocs fy mhlentyndod.

Es i whilmanta yn yr atig am stwff ar gyfer basâr yr eglwys, a dyna ble fi wedi bod byth ers hynny, yn darllen drwyddo.

Diwedd y stori yw na ddaeth y Blodyn na'i Chwyn byth yn ôl. Mae Cwm y Gwendraeth fach a Llangyndeyrn yma o hyd. Mae'r ardal yr un mor bert, yn Gymraeg ei iaith, yn amaethyddol ac yn gymdogol.

Trechodd Dafydd ei Oliath unwaith eto yn Llangyndeyrn, yn 1965.

Mae plant Llewelyn a minne'n mynd i ysgol Llangyndeyrn ac rydyn ni'n ffermio ffarm Llewelyn. Ond dydyn ni ddim yn mynd o gwmpas y cwm yn gwerthu erfin a thato am 12/- y cant!

Gruff a'i wraig sy'n ffermio Llechwedd ac mae Buddug, credwch neu beidio, wedi priodi Ken ac maen nhw'n byw yng Nghaerdydd.

Mae gweddill y Gymdeithas yn dal o gwmpas yr ardal a Martin yn gonglfaen y gymdeithas, yn saer penigamp i bawb yn y gymdogaeth.

Ar ôl brwydr mor galed i gadw Llangyndeyrn, does yr un ohonom yn moyn gadael.

Yn 1983 fe ddathlon ni'r fuddugoliaeth ac mae'r gofeb ar y sgwâr yn dyst o hynny. Chi blant Llangyndeyrn, os bydd rhywun yn ddigon dewr i gyhoeddi'r dyddiadur hwn, cofiwch yr ofan a fu a'r frwydr fawr a gafwyd i achub y cwm. Cofiwch fod y 'cerrig mân ar lawr y dyffryn' wedi troi'n graig na all neb ei symud.

Nos da, Duw. Diolch. Nos da, Llangyndeyrn.

Geirfa

Ache	Amser hir
Blino'n tswps	Blino'n lân / wedi ymlâdd
Bolster	Gobennydd hir, cul
Cagle	Baw neu fwd sydd wedi sychu ar wartheg
Cetyn Sais	Hanner Sais / Person nad yw'n rhugl yn y Gymraeg
Clebran	Siarad
Cloncan	Sgwrsio
Clwme	Clymau
Conan	Cwyno
Croten / Crotesi	Merch / Merched
Crwt / Cryts	Bachgen / Bechgyn
Cymoni	Tacluso
Da cyflo	Buwch yn cario llo
Difi	Difidend / rhandaliad ar nwyddau
Gwynt / Gwynto	Arogl / Arogli
Jar	Llestr pridd / math ar botel ddŵr poeth i gynhesu'r gwely
Oifad	Nofio
Sboner	Cariad (gwrywaidd)
Sha thre	Tuag adref
Stilo	Smwddio
Toc(s)	Tafell/tafellau o fara
Tsepach	Rhatach
Whilmanta	Busnesa

Arian y Cyfnod:
12 ceiniog = swllt / (5c heddiw).
20 swllt = punt.
Chweugain = 10 swllt (50c heddiw).
Coron = 5 swllt (25c heddiw).

Dulliau mesur hyd:
12 modfedd = 1 droedfedd.
3 troedfedd = 1 llathen.
12 modfedd = 30.5cm.

Dulliau mesur cyfaint:
2 beint = 1 chwart.
4 chwart = 1 galwyn.
1 peint = 0.56 litr.
1 galwyn = 4.54 litr.